Jet

Biblioteca de

PLAZA & JANES

LOS HILOS DEL AZAR

Traducción de
Matuca Fernández de Villavicencio

PLAZA & JANES EDITORES, S. A.

Título original: *No More Dying Then*
Diseño de la portada: Graphic Key

Segunda edición: septiembre, 1996

© 1971, Ruth Rendell
© de la traducción, Matuca Fernández de Villavicencio
© 1996, Plaza & Janés Editores, S. A.
Enric Granados, 86-88. 08008 Barcelona

Printed in Spain – Impreso en España

ISBN: 84-01-46231-2 (col. Jet)
ISBN: 84-01-46363-7 (vol. 231/23)
Depósito legal: B. 35.107 - 1996

Fotocomposición: Fernández, S. L.

Impreso en Litografía Rosés, S. A.
Progrés, 54-60. Gavà (Barcelona)

L 463637

1

La ola de calor que acostumbra sacudir Inglaterra a mediados de octubre se conoce como veranillo de San Lucas. Lo de «veranillo» no precisa explicación; lo de San Lucas se debe a que coincide con el 18 de octubre, esto es, el día del santo en cuestión. Asoleándose bajo el cálido sol otoñal, el sargento Camb comunicó esa interesante pero inútil información a Harry Wild y sonrió como dando por zanjada la cuestión.

—¿De veras? Tal vez escriba un artículo sobre el tema. —Wild chupó su pipa vieja y hedionda, apoyó sobre el mostrador los codos con remiendos de cuero y bostezó—. ¿No tienes nada más sugerente?

Camb absorbió el bostezo y bostezó a su vez. Comentó por tercera vez lo bochornoso que resultaba aquel calor y abrió el libro.

—Colisión de dos vehículos en Kingsmarkham, en el cruce de las calles High y Queen —leyó—. No hay heridos. Ocurrió el domingo pasado. Pero ésa no es noticia para el *Courier,* ¿me equivoco? Muchacha de diecisiete años desaparecida, pero ya hemos averiguado su paradero. Ah, y un mandril escapó de la tienda de animales... —Wild levantó la mirada con expresión vagamente interrogativa—. Finalmente lo hallaron en la terraza de la tienda, hurgando en el cubo de la basura.

—Vaya porquería —protestó Wild al tiempo que guardaba la libreta—. En todo caso, yo he optado por la vida tranquila. Si quisiera, mañana mismo me instalaba en Fleet Street. Una sola palabra y estaría ya en la capital, donde ocurren las cosas importantes.

—No lo dudo. —Camb sabía perfectamente que Wild era reportero jefe del *Kingsmarkham Courier* porque su haraganería y su ineptitud, a las que ahora se añadía su avanzada edad, lo convertían en personaje no apto para un periódico más ilustre. Wild llevaba más años visitando asiduamente la comisaría de los que Camb quería recordar, y en cada ocasión hablaba de Fleet Street como si él hubiese rechazado el puesto y no el puesto a él. Con todo, él y sus compañeros le seguían la corriente por simpatía y para mantener la fiesta en paz—. Mi caso es semejante al tuyo —afirmó el sargento—. La de veces que el señor Wexford me ha rogado que considerara mi incorporación al Departamento de Investigación Criminal. Pero no. Aunque desde luego estoy capacitado para el puesto, no soy hombre ambicioso.

—No lo dudo —dijo Wild, devolviendo fielmente el cumplido—. ¿Adónde lleva la ambición? Mira al inspector Burden, por ejemplo. Aún no ha cumplido los cuarenta y ya está destrozado.

—Sí, pero no hay que olvidar que el hombre ha sufrido mucho. Perder a su mujer de ese modo, y con dos hijos que criar.

Wild suspiró con pesar.

—Aquello sí fue una tragedia. Murió de cáncer, ¿no?

—En efecto. El año pasado por estas fechas estaba sana como una manzana, y para Navidad ya había muerto, con sólo treinta y cinco años. Son cosas que te hacen reflexionar.

—Murió en la plenitud de la vida. Y por lo que parece él no levanta cabeza. Imagino que la adoraba.

—Más que marido y mujer parecían tortolitos. —Camb carraspeó y se puso firme en el instante en que el ascensor se abrió y emergió de él el inspector jefe Wexford.

—¿Otra vez cotilleando, sargento? Buenas tardes, Harry. —Wexford echó un vistazo a las dos tazas de té vacías que descansaban sobre el mostrador—. Este lugar se asemeja cada vez más a una tertulia de la asociación de madres de familia.

—Estaba explicando al señor Wild el caso del mandril —se defendió dignamente Camb.

—¡Caray, menudo notición! Seguro que puedes sacarle jugo, Harry. Un mandril aterroriza a la población, las madres no pierden de vista a sus hijos. ¿Alguna mujer puede estar a salvo mientras esa bestia salvaje ronda por nuestras praderas?

—Lo han encontrado, señor. Estaba en un cubo de basura.

—Sargento, si no le creyera incapaz de ello, diría que está tomándome el pelo —espetó Wexford, sonriendo para sus adentros—. Cuando venga el inspector Burden, dígale que he salido. Quiero disfrutar del veranillo indio por unas horas.

—Veranillo de San Lucas, señor.

—¿No me diga? En fin, admito mi error. Ojalá dispusiera de tiempo para profundizar en tan fascinante rama de la meteorología. Te llevo a donde quieras, Harry, si ya has acabado con tus intrigas.

Camb sonrió con disimulo.

9

—Gracias —aceptó Wild.

Eran más de las cinco, pero el calor todavía apretaba. El sargento se desperezó y deseó que Peach llegara pronto para poder enviarlo a la cantina por otra taza de té. Media hora más y sería hombre libre.

En ese momento sonó el teléfono.

Una voz femenina, grave y sonora; como de actriz, pensó Camb.

—Lamento molestarlo, pero mi pequeño... Está... estaba jugando en la calle y... ha desaparecido. Tal vez esté haciendo una montaña de un grano de arena, pero...

—No es ninguna molestia, señora —la tranquilizó Camb—. Para eso estamos, para que nos molesten. ¿Cómo se llama?

—Lawrence. Vivo en el 61 de Fontaine Road, Stowerton.

Camb vaciló por un instante. Entonces recordó que Wexford había ordenado que todos los casos de niños desaparecidos se notificaran al Departamento de Investigación Criminal. No querían otra Stella Rivers...

—No se preocupe, señora Lawrence. Le pasaré con alguien que podrá ayudarla. —Conectó la centralita y oyó la voz del sargento Martin. Luego colgó el auricular.

El sargento Camb suspiró. Era una lástima que el viejo Harry se hubiera marchado tan deprisa, justo cuando surgía la primera noticia importante de las últimas semanas. Podría darle un telefonazo... Al día siguiente sin falta. Seguro que el niño aparecería tarde o temprano, como el mandril. En Kingsmarkham las personas y las cosas extraviadas casi siempre aparecían, y en condiciones más o menos satisfactorias. Camb volvió la cabeza hacia el sol como quien hace girar una tostada sobre la luz encarnada de una hoguera. Las cinco y veinte. A las seis estaría sentado a la mesa de su casa de Severn Court, en Station Road. Después de cenar, un paseo con su mujer hasta el Dragon y luego un poco de televisión...

—¿Echando un sueñecito, sargento? —preguntó una voz fría y afilada como una cuchilla de afeitar sin estrenar. Camb se sobresaltó.

—Lo siento, señor Burden, pero este calor es soporífero. El veranillo de San Lucas lo llaman, porque...

—¡Déjese de tonterías, maldita sea! —Antes de la tragedia, Burden jamás blasfemaba. En la comisaría se mofaban de él porque nunca mencionaba el nombre del Señor en vano, ni maldecía ni recurría a las palabrotas que todos los demás empleaban. Camb prefería los viejos tiempos. Notó que el rubor le subía por las mejillas, y no era por el sol. Burden espetó—: ¿Algún mensaje?

Camb miró al inspector con tristeza. Sentía verdadera lástima por su afligido colega, y por eso le perdonaba que lo humillase y avergonzara delante de Martin y Gates, e incluso de Peach. Camb no alcanzaba a imaginar lo que significaba perder una esposa, la madre de tus hijos, el vivir solo y apesadumbrado. Burden estaba muy delgado. Los pómulos, prominentes y afilados, le tensaban la piel, y su mirada, de un brillo inquietante, se hacía insufrible cuando se ahondaba en ella. En tiempos había sido un hombre bastante atractivo, típicamente inglés, rubio y coloradote, pero ahora el color y la vida lo habían abandonado y todo en él era gris. Aún lucía corbata negra, con el nudo tan apretado que parecía estar a punto de ahogarse.

Recién ocurrida la tragedia el sargento expresó al inspector Burden su condolencia como todos los demás, y estuvo bien, era lo correcto. Luego, con el tiempo, intentó decirle algo más sincero, más personal, y Burden arremetió contra él como una espada afilada. Le dijo cosas horribles. Resultó más duro oírlas de aquellos labios templados y fríos que de las bocas de los ignorantes de Kingsmarkham que habitualmente las utilizaban. Era como pedir en la biblioteca un escrito por un autor que uno aprecia y al abrirlo leer una palabra que antes se imprimía con una p y un guión.

Así pues, a pesar de que Camb deseaba decirle algo amable —¿acaso no tenía edad suficiente para ser su padre?—, se limitó a suspirar y contestar con tono solemne:

—El señor Wexford ha salido. Dijo que...

—¿Eso es todo?

—No, señor. Ha desaparecido un niño y...

—¿Por qué demonios no lo ha dicho antes?

—El asunto está bajo control —espetó Camb—. Martin ha sido informado y se ha encargado de telefonear al señor Wexford. Mire, señor, no es mi intención entrometerme en sus asuntos, pero, en fin... ¿por qué no se va a casa y descansa?

—Cuando necesite su consejo se lo pediré. El último niño que desapareció aún no ha sido encontrado. No pienso irme a casa. —«No tengo un motivo por el que ir a casa.» No lo dijo, pero las palabras estaban ahí, y el sargento las oyó—. ¿Le importaría ponerme con mi casa?

Camb obedeció. Al oír la voz de Grace Woodville, pasó el auricular a su cuñado.

—¿Grace? Soy Mike. No me esperes a cenar. Ha desaparecido un niño. Llegaré a eso de las diez.

Burden colgó el auricular con violencia y se encaminó hacia el ascensor. Camb quedó abstraído, contemplando las puertas, hasta que diez minutos más tarde el sargento Mathers llegó para sustituirlo en el mostrador.

La casa de Tabard Road se conservaba tal como en vida de Jean Burden. Los suelos relucían, las ventanas deslumbraban y en las macetas de cerámica había flores, crisantemos en esta época del año. En esa casa se servía sencilla comida inglesa y los niños gozaban del aspecto cuidado de los niños que tienen una madre cariñosa y atenta. Las camas estaban hechas a las ocho y media, el turno de la colada era a las nueve y una voz alegre daba la bienvenida a los que volvían al hogar.

Grace Woodville se había encargado de que así fuera. Para ella la única forma de dirigir la casa y comportarse con los niños era como lo hacía su hermana. Incluso se parecía a ésta tanto como es posible entre dos mujeres que no son gemelas. Y había funcionado. A veces pensaba que John y Pat casi habían olvidado a Jean. Acudían a ella cuando se hacían daño, los acuciaba algún problema o tenían algo interesante que contar, exactamente como hacían con Jean. Parecían felices, recuperados de la herida sufrida en Navidad. Había funcionado con ellos y con la casa y con la forma de dirigir las cosas, pero no había funcionado para Mike. Por supuesto que no. ¿Acaso llegó a creer que funcionaría?

Grace colgó el auricular, se miró en el espejo y vio el rostro de Jean. Cuando Jean aún vivía su cara nunca había sido como la de ella, sino muy diferente, más firme y cuadrada, denotaba más satisfacción y —¿por qué no decirlo?— inteligencia. Ahora se parecía a la de Jean. Había perdido vida, ingenio, y no le sorprendía, dado el modo en que transcurrían sus días, siempre cocinando y limpiando, consolando y aguardando en casa a un hombre que lo daba todo por hecho.

—¿John? —dijo Grace—, era tu padre. No regresará hasta las diez. Creo que deberíamos cenar, ¿qué te parece? —La hermana de John estaba en el jardín, recogiendo orugas para la colección que guardaba en el garaje. Al contrario de otras mujeres, Grace temía más a las orugas que a los ratones o las arañas, pero tenía que fingir que le gustaban e incluso recrearse en su contemplación, porque ella era todo lo que Pat tenía como madre—. ¡Pat! La cena está lista. No tardes.

La niña tenía once años. Entró y abrió la caja de cerillas que llevaba en la mano. Grace se estremeció cuando vio la enorme cosa verde que había dentro.

—Preciosa —dijo con voz débil—. Es una oruga del tilo, ¿verdad? —Se había documentado y Pat, como todos los niños, valoraba a los adultos que mostraban interés.

—Mira que carita tan dulce tiene.

—Espero que se convierta en crisálida antes de que las hojas comiencen a caer. Papá no viene a cenar.

Pat se encogió de hombros con gesto de indiferencia. Últimamente no quería demasiado a su padre. Él había amado más a su esposa que a su hija, lo sabía, pero también sabía que ahora su padre debería quererla más que nunca para paliar la pérdida de su madre. Un profesor de la escuela le había asegurado que pronto lo haría, que todos los padres lo hacían. Ella esperó, pero él no reaccionó. Su padre siempre había trabajado hasta muy tarde, pero últimamente estaba fuera de casa casi todo el tiempo. Ella había volcado su amor básico e instintivo en su tía Grace. Íntimamente deseaba que John y su padre desaparecieran y la dejasen sola con su tía. Entonces lo pasarían en grande recogiendo orugas cada vez más raras y leyendo libros de ciencia e historia natural y del ballet Bolshoi. Se sentó a la mesa, al lado de Grace, y atacó el pastel de pollo y jamón, que sabía exactamente como el que hacía Jean.

—Hoy en la escuela hemos tenido un debate sobre la igualdad de sexos —dijo John.

—¡Qué interesante! —exclamó Grace—. ¿Y tú que dijiste?

—Dejé que fueran los demás quienes hablaran. Sólo dije que el cerebro de la mujer pesa menos que el del hombre.

—Eso no es cierto —intervino Pat.

—Sí que lo es. Pesa menos, ¿verdad, tía Grace?

—Me temo que sí —admitió Grace, que había sido enfermera—. Pero eso no significa que la mujer sea menos inteligente.

—Seguro que mi cerebro pesa más que el tuyo —dijo Pat mirando a su hermano con rencor—. Tengo la cabeza más grande. De todos modos, los debates me aburren, demasiada charla.

—Come, cariño.

—Cuando sea mayor —continuó Pat, iniciando su tema favorito—, no hablaré ni discutiré ni haré cosas aburridas. Obtendré el título. No, esperaré a sacarme el doctorado, y entonces viajaré a Escocia y realizaré un importante estudio sobre los lagos y encontraré los monstruos que viven en ellos y después...

—En los lagos de Escocia no hay monstruos —dijo John—. Jamás han encontrado ninguno.

Pat ignoró el comentario de su hermano.

—Tendré submarinistas y un barco especial y una tripulación y tía Grace estará en la estación cocinando y cuidando de nosotros.

John y Pat comenzaron a discutir furiosamente. Podía ocurrir, pensaba Grace. Eso era lo terrible, que podía ocurrir. A veces se imaginaba viviendo en esa casa hasta que los niños fueran mayores y ella una vieja, y siguiendo a Pat en calidad de criada. ¿Qué otra cosa sabría hacer para entonces? ¿Y qué importaba si su cerebro pesaba más, menos o lo mismo que el de un hombre si estaba atrapada en una casita de Sussex, atrofiándose?

Cuando Jean falleció, ella trabajaba de enfermera en un gran hospital pedagógico de Londres, y había recurrido al permiso de seis semanas que le debían para cuidar de Mike y sus hijos. Sólo serían seis semanas. Uno no invierte varios años de su vida estudiando, sufriendo recortes salariales para obtener títulos superiores, viviendo dos años en Estados Unidos a fin de profundizar en los últimos avances de la obstetricia en una clínica de Boston, para luego renunciar a todo. La junta del hospital le aconsejó que no lo hiciera, y ella rió. Pero las seis semanas se convirtieron en seis meses, en nueve, en diez, y ahora su puesto en el hospital lo ocupaba otra persona.

Contempló pensativa a los niños. ¿Cómo podía abandonarlos ahora? ¿Cómo podía siquiera pensar en abandonarlos en los siguientes cinco años? Y para entonces Pat sólo tendría dieciséis.

El culpable de todo era Mike. Resultaba duro decirlo, pero era la verdad. Muchos hombres perdían a sus esposas, y se adaptaban. Con el salario y las dietas de Mike podían permitirse una sirvienta. Pero no era sólo eso. Un hombre de la inteligencia de Mike tenía que darse cuenta de lo que estaba haciéndoles a ella y a los niños. Ella había llegado a esa casa atendiendo las súplicas desesperadas de Mike, convencida de que contaría con su apoyo, de que él haría un esfuerzo por estar en casa por las noches, por sacar a los niños los fines de semana y compensarles por la pérdida de su madre. Pero no había hecho nada de eso. ¿Cuánto hacía que no pasaba una tarde en casa? ¿Tres semanas? ¿Cuatro? Y no siempre era a causa del trabajo. Una tarde, cuando Grace ya no pudo soportar el rostro amargo y díscolo de John, telefoneó a Wexford, quien le comunicó que Mike se había marchado a las cinco. Una vecina le dijo más tarde dónde estaba. Lo había visto sentado en el coche, en uno de los senderos del bosque de Cheriton, con la mirada fija en los árboles rectos, paralelos, interminables.

—¿Os apetece mirar la televisión? —propuso Grace, tratando de infundir ánimo a su voz—. Creo que dan una buena película.

—Tengo muchos deberes —se excusó John—, y no podré hacer los de matemáticas hasta que mi padre regrese. ¿Has dicho que llegaría a las diez?

—Alrededor de las diez.

—Entonces me voy a mi habitación.

Grace y Pat se sentaron en el sofá y miraron la película. Trataba de la vida familiar de unos policías y se correspondía muy poco con la realidad.

Burden condujo hasta Stowerton cruzando el barrio nuevo y la antigua High Street. Fontaine Road discurría paralela a Wincanton Road, y allí, muchos años atrás, él y Jean habían alquilado un piso por seis meses poco después de casarse. Cada vez que recorría Kingsmarkham y sus alrededores, tropezaba con algún lugar donde había estado o había visitado con Jean por algún motivo especial. No podía evitarlos, y cada vez que los veía se le abría una nueva herida cuyo dolor no decrecía. Desde el fallecimiento de su esposa había evitado Wincanton Road, pues allí habían sido particularmente felices, una pareja de jóvenes amantes que descubría el significado del amor. Había tenido un mal día, por algún motivo estaba especialmente sensible e irritable, e intuía que la visión del edificio donde habían vivido sería la gota que colmaría el vaso. Probablemente perdería el control y se quedaría clavado delante de la puerta, llorando.

Ni siquiera miró el nombre de la calle cuando pasó, y en todo momento mantuvo la mirada al frente. Dobló a la izquierda para coger Fontaine Road y se detuvo ante el número 61.

La casa era realmente fea, construida ochenta años atrás y rodeada de un jardín salvaje y descuidado, repleto de árboles frutales cuyas hojas cubrían la hierba. La vivienda, una construcción de ladrillos verde caqui, mostraba un tejado de pizarra casi plano. En comparación con las minúsculas ventanas de guillotina, la puerta principal resultaba enorme, desproporcionada, un armatoste grande y pesado con vidrieras rojas y azules. Estaba entreabierta.

Burden no entró. El automóvil de Wexford estaba aparcado junto a otros coches patrulla frente a la valla que separaba el fin de la calle de la explanada que el Ayuntamiento de Stowerton había convertido en parque infantil. Más allá había más prados, árboles, el campo ondulante.

Wexford estaba dentro del coche, estudiando un mapa del Estado Mayor. Observó a Burden mientras se acercaba y dijo:

—No te esperaba tan pronto. Acabo de llegar. ¿Hablas tú con la madre o hablo yo?

—Hablaré yo —dijo Burden.

Del portal del número 61 pendía una aldaba pesada que representaba una cabeza de león con una anilla en la boca. Burden acarició la aldaba y empujó la puerta hacia adentro.

2

En el vestíbulo había una mujer joven con las manos cruzadas sobre el regazo. Lo primero que llamó la atención de Burden fue su cabello, del color de las hojas muertas del manzano que habían irrumpido para posarse sobre las baldosas del suelo del pasillo. Ni liso ni rizado, era de un tono cobrizo, ardiente, voluminoso y fulgurante, como alambre fino o hilo devanado que destacaba sobre su rostro menudo y pálido y le caía hasta media espalda.

—¿Señora Lawrence?

La mujer asintió.

—Soy el inspector Burden, del Departamento de Investigación Criminal. Antes que nada necesito una fotografía de su hijo y alguna prenda que haya utilizado recientemente.

La señora Lawrence contempló al inspector con mirada atónita, como si tuviera delante a un clarividente capaz de intuir el paradero de su hijo desaparecido sólo con tocar sus ropas.

—Para los perros —aclaró amablemente Burden.

La mujer subió al primer piso y él la oyó abrir y cerrar enfebrecidamente los cajones. Naturalmente, pensó Burden, tenía que tratarse de una casa desordenada, donde nada estaba en su debido lugar. La mujer bajó corriendo con una chaqueta del colegio color verde botella y una fotografía ampliada. Burden contempló el retrato mientras salía rápidamente a la calle. Mostraba un muchacho fuerte y robusto, no demasiado limpio ni aseado, pero indudablemente bello, de cabello rubio y espeso y grandes ojos oscuros.

Los hombres que habían acudido para participar en la búsqueda aguardaban dispersos en grupos, unos en el parque, otros en torno a los coches patrulla. Había unos sesenta o setenta entre vecinos, amigos, parientes de los vecinos y otros que habían llegado desde más lejos en bicicleta. Burden siempre se sorprendía de la velocidad con que se propagaban las noticias de esa índole. Apenas eran las seis. Hacía sólo media hora que la policía había sido alertada.

Se acercó al sargento Martin, que parecía inmerso en una riña con uno de los hombres, y le entregó la fotografía.

—¿Qué era todo ese jaleo? —preguntó Wexford.

—Ese tipo me dijo que me metiera en mis asuntos porque le advertí que necesitaba unos zapatos más gruesos. Eso pasa por recurrir a la población civil, señor. Siempre se creen que lo saben todo.

—No podemos pasar sin ellos, sargento —le recordó Wexford—. En momentos como éste necesitamos a todos los hombres disponibles, tanto policías como civiles.

La pareja de rastreadores más eficaz y experta no pertenecía, por decirlo de algún modo, a ninguna de esas categorías. Sentados a cierta distancia, observaban a los hombres con receloso desdén. El pelaje de la perra alsaciana brillaba como el raso bajo el sol agonizante, en tanto que el del pastor alemán era mate y áspero, como el de un lobo. Después de aconsejar al hombre que había sufrido el altercado con el sargento Martin que no se acercara a los perros —le pareció que se disponía a acariciar al pastor alemán—, Wexford entregó la chaqueta al cuidador de la perra alsaciana.

Mientras los perros olfateaban la prenda con sus hocicos afilados, Martin formó a los hombres en pelotones de doce y puso un guía al frente de cada uno de ellos. Faltaban linternas y Wexford maldijo la estación en que se hallaban por el engañoso calor diurno y la rapidez con que caía la fría noche. Por el cielo rojizo aparecían ya espigas de nubes oscuras y amenazaba una helada. Oscurecería antes de que las partidas de búsqueda alcanzaran el bosque, que se inclinaba como un oso negro y peludo sobre los confines de los campos.

Burden observó los minúsculos ejércitos cruzar el parque infantil e iniciar la larga cacería que los llevaría más allá de Forby. Una luna glacial en fase menguante asomó entre los árboles. Si la nube negruzca que flotaba ante ella se disipaba y le permitía brillar, valdría más que todas las linternas juntas.

Las mujeres de Fontaine Road, que habían salido a la puerta de sus casas para ver a los hombres partir, comenzaron a recogerse con paso lento. Habría que interrogar a cada una de ellas. ¿Habían visto algo o a alguien? ¿Sucedió algo fuera de lo normal ese día? Por orden de Wexford, Loring y Gates iniciaron una investigación casa por casa. Burden regresó con la señora Lawrence y la siguió hasta la sala de estar, una estancia enorme repleta de horribles muebles victorianos que hacían juego con la casa. Había juguetes, libros y revistas esparcidos por toda la habitación, y ropas, chales y fulares colgando de los muebles. De la moldura de una pared pendía una percha con un vestido largo de retazos multicolores.

El lugar reveló un aspecto mucho más sucio y desaliñado cuando la señora Lawrence encendió la lámpara. Incluso ella se tornó más extraña; lucía pantalón tejano, una camisa de raso y collares de cuentas deslustradas alrededor del cuello. Burden no necesitaba admirarla, pero habría deseado sentir compasión por ella. Enseguida presintió que esa mujer de pelo alborotado y ropas extrañas no era la persona adecuada para cuidar de un niño, y que incluso su apariencia y todo lo que Burden asociaba a ella podía haber contribuido a su desaparición. Entonces se dijo que no debía precipitarse en sus conclusiones.

—¿Cómo se llama el niño y qué edad tiene?

—John. Tiene cinco años.

—¿No fue hoy a la escuela?

—Para las escuelas primarias son las vacaciones de mitad de trimestre —explicó la mujer—. ¿Le cuento lo que ocurrió esta tarde?

—Adelante.

—John y yo almorzamos juntos y alrededor de las dos de la tarde vino a buscarlo su amigo de la casa de al lado. Se llama Gary Dean y tiene su misma edad. —Estaba muy serena, pero ahora tragaba saliva y se aclaraba la garganta—. Salieron a la calle con sus triciclos. Es un lugar tranquilo y saben que no deben bajar de la acera.

»Cuando John sale a jugar, cada media hora miro por la ventana para asegurarme de que está bien, y eso mismo hice hoy. Desde la ventana del rellano diviso toda la calle y el parque. Jugaron durante un rato en la acera con otros chicos del vecindario, pero a las tres y media, cuando miré de nuevo, vi que estaban en el parque.

—¿Podía ver a su hijo desde esta distancia?

—Llevaba un jersey azul marino y es muy rubio.

—Continúe, señora Lawrence.

La mujer respiró hondo y entrelazó los dedos.

—Habían dejado los triciclos en la acera. Cuando miré por la ventana todos estaban en los columpios y distinguí a John por el pelo y el jersey. O eso creía. Había seis niños. Cuando miré por última vez el parque estaba desierto y bajé a abrir la puerta a John. Pensé que venía a merendar.

—Pero no vino.

—No. Su triciclo estaba solo en la acera. —La mujer se mordió el labio inferior y ahora tenía la cara pálida—. No quedaba ningún niño en la calle. Entonces supuse que John había ido a casa de algún amigo. Lo hace algunas veces, aunque sabe que antes debe pedirme permiso, de modo que esperé cinco minutos. Luego fui a casa de los Dean para ver si estaba allí. Fue entonces cuando comencé a preocuparme —susurró—. Gary estaba merendando con un chico de pelo rubio que llevaba un jersey azul, pero no era John. Era su primo, que había venido a pasar la tarde. Entonces comprendí que el chico que desde las tres y media había pensado que era John en realidad era el primo de Gary.

—¿Qué hizo entonces?

—Pregunté a Gary dónde estaba John y contestó que no lo sabía. Mi hijo se había marchado unas horas antes, eso dijo, unas horas antes, e imaginaron que estaba conmigo. Luego fui a casa de otro niño, Julian Crantock, que vive en el número 59, y la señora Crantock y yo conseguimos hacerle hablar. Dijo que Gary y su primo habían molestado a John, cosas de niños, pero ya sabemos cómo son, cómo hacen daño y se hacen daño. Se burlaron del jersey de John, dijeron que era de niña por la forma en que se abotonaba. Julian aseguró que mi hijo estuvo un rato sentado solo en el tiovivo y después se encaminó hacia la carretera.

—¿Esta carretera? ¿Fontaine Road?

—No. La calle que transcurre entre el parque infantil y los campos de cultivo, desde Stowerton hasta Forby.

—La conozco —dijo Burden—. Se llama Mill Lane. Tiene una pendiente que acaba en una loma rodeada de árboles.

La señora Lawrence asintió, y hablando para sí, dijo:

—Pero ¿por qué fue allí? ¿Por qué? Le he dicho mil veces que no debe alejarse del parque.

—Los niños no siempre obedecen, señora Lawrence. ¿Fue entonces cuando nos telefoneó?

—No. —La mujer alzó los ojos y tropezó con la mirada de Burden. De un verde grisáceo, reflejaban un tremendo aturdimiento, pero la voz era queda y serena—. En compañía de la señora Crantock, visité la casa de cada niño. Al ver que todos repetían lo de la pelea y la marcha de John, mi vecina sacó el coche y recorrimos Mill Lane hasta Forby. Encontramos a un hombre cuidando vacas, un cartero y un repartidor de verduras, y a todos preguntamos por John, pero ninguno lo había visto. Entonces fue cuando telefoneé a la policía.

—Así pues, John desapareció alrededor de las tres y media.

Ella asintió.

—Hace cerca de tres horas. Está oscureciendo. A John le asusta la oscuridad.

Conservaba la calma, pero Burden temía que una palabra o un gesto inadecuado por su parte, o incluso un ruido repentino, atravesaría esa calma y liberaría un grito de terror. No sabía qué pensar de la señora

Lawrence. Parecía una mujer peculiar, perteneciente a un mundo que él sólo conocía por los periódicos. Había visto fotografías de ella o de mujeres muy parecidas a ella, saliendo de los juzgados de Londres, acusadas de posesión de hachís. Mujeres como ella aparecían muertas en habitaciones amuebladas por una sobredosis de barbitúricos y alcohol. ¿Como ella? El rostro era el mismo, demacrado y pálido, y también lo era el pelo alborotado y la horrenda indumentaria. El dominio de sí misma era lo que confundía a Burden, esa voz dulce y suave que no encajaba con la conducta excéntrica y la vida poco ortodoxa que le había atribuido.

—Señora Lawrence, a lo largo del año nos llegan muchos casos de niños desaparecidos y más del noventa por ciento aparece sano y salvo. —No pensaba mencionar la muchacha que nunca fue encontrada. Ya se encargaría otro de hacerlo, un vecino entrometido, por ejemplo, pero quizá para entonces el niño estuviera de nuevo con su madre—. ¿Sabe lo que le ocurre a la mayoría de esos niños? Que escapan a causa de una riña o de una mera travesura y acaban perdiéndose. Después, una vez agotados, se tumban a dormir en algún lugar recogido.

Los ojos de la mujer lo consternaban. Eran tan grandes, tan abiertos, y apenas parpadeaban. Al fin percibió en ellos un tenue brillo de esperanza.

—Le agradezco su amabilidad —dijo con voz grave—. Confío en usted.

—Estupendo —respondió torpemente Burden—. Deje que nosotros nos ocupemos de todo. ¿A qué hora regresa su marido a casa?

—Estoy divorciada. Vivo sola.

Burden no se sorprendió. Tenía que estar divorciada. Apenas aparentaba veintiocho años y para cuando alcanzara los treinta y ocho probablemente se habría casado y divorciado otras dos veces. Sólo Dios conocía la conjunción de circunstancias que la habían llevado al corazón de Sussex desde Londres, su verdadero lugar, para vivir en la miseria y causar con su negligencia problemas indecibles a la policía.

La voz serena de la mujer, algo más temblorosa ahora, interrumpió el ensimismamiento severo y tal vez injusto de Burden.

—John lo es todo para mí. No tengo a nadie más en este mundo.

¿Y de quién era la culpa?

—Lo encontraremos —le aseguró Burden con firmeza—. Buscaré una mujer para que le haga compañía. ¿Qué tal la señora Crantock?

—¿Lo haría? Es una mujer encantadora. Casi toda la gente de por aquí es encantadora, aunque... —titubeó—. Algo diferente de la gente con la que solía tratar.

«De eso estoy seguro», pensó Burden. Miró el vestido de retazos multicolores. ¿Para qué acontecimiento social respetable elegiría una mujer un vestido como ése?

La señora Lawrence no lo acompañó hasta la puerta. Burden la dejó con la mirada perdida en el vacío, jugueteando con el largo collar de cuentas que le pendía del cuello. Pero ya en la calle, el inspector volvió la cabeza y vio el pálido rostro de la mujer en la ventana, una ventana sucia y pringosa que esas finas manos jamás habían limpiado. Sus miradas se encontraron y Burden se vio obligado a sonreír. Ella no le devolvió la sonrisa, sólo lo miró, la tez pálida y macilenta como la luna entre nubes de espeso pelaje.

La señora Crantock era una mujer pulcra y alegre. Tenía el cabello rizado y cano, y un collar de perlas cultivadas caía sobre su conjunto rosa. Después de hablar con Burden acudió de inmediato a casa de la señora Lawrence para hacerle compañía. Su marido había partido con los pelotones de búsqueda y en la casa sólo quedaban Julian y su hermana de catorce años.

—Julian, cuando viste que John se alejaba hacia Mill Lane, ¿observaste algo más? ¿Habló alguien con él?

El chico negó con la cabeza.

—No, sencillamente se marchó.

—¿Qué hizo luego? ¿Se detuvo bajo los árboles o siguió andando?

—No lo sé. —Julian se agitó inquieto y bajó la mirada—. Yo estaba en los columpios.

—¿Miraste hacia el camino? ¿Miraste para ver dónde estaba John?

—Sí, pero ya no estaba —respondió Julian—. Gary dijo que se había ido y nos alegramos, porque no nos gustan los bebés.

—Comprendo.

—No sabe nada, de verdad —intervino su hermana—. Le hemos preguntado una y otra vez pero no sabe nada.

Burden se dio por vencido y se dirigió a casa de los Dean, en el número 63.

—No permitiré que sigan presionando a Gary —protestó la señora Dean, una mujer joven de aspecto duro y modales agresivos—. Los niños se pelean continuamente. Gary no tiene la culpa de que John Lawrence sea tan sensible que una broma inocente lo hace salir corriendo. Ese niño está trastornado. He ahí el origen del problema. Procede de un hogar roto. ¿Qué otra cosa puede esperarse?

Burden compartía la opinión de la señora Dean.

—No estoy culpando a Gary —repuso—. Sólo quiero hacerle algunas preguntas.

—No permitiré que lo intimide.

Últimamente, la menor resistencia hacía estallar al inspector Burden.

—Señora —respondió bruscamente—, está usted en su derecho de denunciarme al inspector jefe si intimido a su hijo.

El chico estaba en la cama, pero no dormía. Bajó en pijama, con un mohín de enfado en el rostro.

—Gary, no estoy enojado contigo, nadie lo está —dijo Burden—. Sólo queremos encontrar a John. Lo entiendes, ¿verdad?

El niño no respondió.

—Está cansado —intervino la madre—. Ya ha dicho que no vio a nadie y con eso basta.

Burden ignoró el comentario de la mujer y se inclinó hacia el chico.

—Mírame, Gary. —Tropezó con unos ojos llenos de lágrimas—. No llores. Podrías ayudarnos, Gary. ¿No te gustaría que la gente hablara de ti como el muchacho que ayudó a la policía a encontrar a John? Sólo quiero que me digas si viste a alguien, a alguna persona mayor en la calle cuando John se marchó.

—Hoy no estaba —respondió Gary. Entonces, volviéndose hacia su madre, gritó—: ¡No estaba! ¡No estaba!

—¿Satisfecho? —espetó la señora Dean—. Esto no quedará así, se lo advierto.

—¿Y bien, Mike? —preguntó Wexford.

—Al parecer, un hombre ha estado rondando ese parque. He pensado que podría probar suerte con los inquilinos de las casas situadas al final de la calle, las que dan al parque.

—De acuerdo. Yo visitaré a los vecinos de Wincanton.

¿Acaso recordaba Wexford que él y Jean habían vivido en esa calle durante un tiempo? Burden pensó que probablemente estaba atribuyendo al inspector jefe una excesiva sensibilidad. Un policía no tiene vida privada cuando está investigando un caso. Llegó al final de Fontaine Road. El campo estaba oscuro, pero a lo lejos vislumbraba el brillo ocasional de una linterna.

Las dos casas estaban situadas frente por frente. La primera era una vivienda de una sola planta construida en 1935, y la otra un edificio victoriano alto y estrecho. Ambas tenían ventanas laterales que daban al parque. Burden llamó a la puerta de la primera casa. Abrió la puerta una muchacha.

—Acabo de llegar del trabajo —explicó— y mi marido todavía no está en casa. ¿Ha ocurrido algo malo?

Burden le contó lo sucedido.

—El parque se ve desde mi ventana —dijo la joven—, pero nunca estoy en casa.

—En ese caso no le haré perder más tiempo.

—Espero que encuentren al niño.

La puerta de la casa victoriana se abrió antes de que Burden alcanzara a tocarla. En cuanto vio la cara de la mujer que lo aguardaba, supo que tenía algo que contarle. Era una mujer mayor, ágil, de mirada penetrante.

—No fue ese hombre, ¿verdad? Si ha sido él, nunca podré perdonármelo...

—¿Le importa que entre un minuto? ¿Puede decirme su nombre?

—Soy la señora Mitchell —contestó, y condujo al inspector a una habitación ordenada y recientemente empapelada—. Debí acudir a la policía antes, pero ya sabe cómo son estas cosas. Nunca hizo nada malo, ni siquiera hablaba con los niños. Advertí de su presencia a la joven señora Rushworth, porque su Andrew juega en el parque, pero siempre está muy ocupada, trabaja mucho. Más tarde, puesto que no volví a verlo y los niños comenzaron la escuela...

—Empecemos por el principio, señora Mitchell. Dice que solía ver a un hombre rondar por el parque. ¿Cuándo fue la primera vez que lo vio?

La señora Mitchell se sentó y respiró profundamente.

—En agosto, durante las vacaciones escolares. Siempre limpio las ventanas de la planta superior los miércoles por la tarde. Uno de esos miércoles estaba sacando brillo a la ventana del rellano cuando vi a ese hombre.

—¿Dónde lo vio?

—En Mill Lane, cerca de la calle Forby, bajo los árboles. Estaba de pie, mirando a los niños. Déjeme recordar... Estaban Julian Crantock y Gary Dean, y el pobre John Lawrence, y Andrew Rushworth y los gemelos McDowell. Jugaban en los columpios y ese hombre los observaba. ¡Cielo santo, debí informar a la policía!

—Habló con una de las madres, señora Mitchell. No debe reprocharse nada. ¿De modo que vio a ese hombre varias veces?

—Oh, sí, el miércoles siguiente. Y el jueves volví a mirar por la ventana y allí estaba. Fue entonces cuando hablé con la señora Rushworth.

—Por lo tanto, durante las vacaciones de agosto vio a ese hombre con frecuencia.

—Después de eso hubo varios días lluviosos, los niños no podían salir a jugar al parque, y luego empezaron las clases. Entonces me olvidé por completo del hombre, hasta ayer.

—¿Lo vio ayer?

La señora Mitchell asintió.

—Era miércoles y estaba limpiando la ventana del rellano. Vi a los niños entrar en el parque y luego apareció ese hombre. Me sobresaltó verlo nuevamente después de dos meses. Decidí quedarme en la ventana y observar qué hacía. Pero no hacía nada. Deambuló por la explanada y recogió algunas hojas caídas, ya sabe, y después contempló un rato más a los niños. Había pasado media hora, y justo cuando decidí ir a buscar una silla porque las piernas me flaqueaban, desapareció por la pendiente.

—¿Iba en coche? —preguntó rápidamente Burden—. ¿Lo había aparcado en la calle?

—No pude verlo. Creo que oí un coche que arrancaba, pero pudo ser el de otra persona.

—¿Ha visto hoy al hombre, señora Mitchell?

—Debí mirar, lo sé. Pero ya había hablado con la señora Rushworth y era su responsabilidad. Además, nunca vi a ese hombre hacer nada malo. —La mujer suspiró—. Hoy salí de casa a las dos. Fui a visitar a mi hija casada que vive en Kingsmarkham.

—Descríbame al hombre, señora Mitchell.

—Cómo no —respondió complacida la mujer—. Era joven, casi un muchacho, muy delgado, ya sabe, y algo frágil. No tan alto como usted, desde luego. Un metro sesenta y cinco o setenta, diría yo. Siempre vestía uno de esos... ¿cómo los llaman...? abrigos de tres cuartos, eso es, negro, o gris muy oscuro, y un pantalón tejano. Pelo moreno, no demasiado largo para los tiempos que corren, pero mucho más largo que el suyo. Desde esta distancia no podía verle la cara, pero tenía manos muy pequeñas. Y cojeaba.

—¿Cojeaba?

—Cojeaba cuando paseaba por el parque —explicó muy seria la señora Mitchell—. Observé que arrastraba un pie, muy ligeramente. Era una cojera apenas perceptible.

3

La siguiente calle paralela a Fontaine Road era Chiltern Avenue, y a ella se accedía por un camino que bordeaba la fachada lateral de la casa de la señora Mitchell, entre su jardín y el parque. Burden visitó casa por casa. La familia McDowell vivía en el número 38, y los gemelos, Stewart e Ian, aún estaban levantados.

Stewart nunca había visto al hombre, pues había pasado la mayor parte del mes de agosto confinado en casa con amigdalitis y esa tarde había estado con su madre en el dentista. Pero Ian sí lo había visto, e incluso habló de él con Gary Dean, su mejor amigo.

—Siempre estaba bajo los árboles —explicó Ian—. Gary decía que era un espía. Un día Gary se acercó a él para hablarle, pero el hombre salió huyendo.

Burden pidió al chico que describiera al sujeto, pero Ian carecía de la capacidad de observación de la señora Mitchell.

—Un hombre —dijo—. Casi tan grande como mi hermano. —El hermano en cuestión tenía quince años. Burden le preguntó si cojeaba.

—¿Qué quiere decir «cojear»?

El inspector se lo explicó.

—No lo sé —repuso el niño.

Unas viviendas más abajo, en una casa del mismo estilo que la de la señora Lawrence, encontró a la familia Rushworth. El señor Rushworth, al parecer, era agente inmobiliario en Kingsmarkham y había salido con los pelotones de búsqueda, pero su esposa se encontraba en casa con sus cuatro ingobernables hijos, y todos seguían levantados. ¿Por qué no había acudido a la policía en agosto, después de hablar con la señora Mitchell?

La señora Rushworth, una mujer rubia y menuda cuyos altos tacones y largas uñas, junto con la cresta de firme pelo en lo alto de la cabeza, le conferían el aspecto de un gallo de pelea, rompió a llorar.

—Pensaba hacerlo —sollozó—. Estaba decidida. Trabajo todo el día en el despacho de mi marido. ¡No tengo tiempo para nada!

Eran cerca de las ocho y John Lawrence llevaba cuatro horas y media desaparecido. Burden se estremeció, no tanto por el crudo frío de la noche como por la sensación de que se avecinaba una tragedia, un suceso que proyectaba una sombra larga y gélida sobre ellos. Llegó hasta el coche y tomó asiento al lado de Wexford.

El chófer del inspector jefe se había ido y Wexford estaba sentado en el asiento trasero del coche negro oficial. Ya no tomaba apuntes ni estudiaba el mapa, sólo meditaba. Envuelto en la tenue penumbra —no había encendido la luz interior— y sumergido entre las sombras, bien podía confundírsele con una estatua de piedra. Wexford era un hombre gris de la cabeza a los pies: pelo ralo gris, gabardina vieja gris, zapatos siempre cubiertos de polvo gris. También el rostro, surcado de arrugas, parecía gris en la débil oscuridad. Cuando Burden subió al coche, Wexford volvió ligeramente la cabeza y lo miró fijamente con sus ojos grises, el único aspecto luminoso de su persona. Burden no dijo nada y permanecieron callados durante un rato. Al cabo, Wexford dijo:

—Un penique por tus pensamientos, Mike.

—Pensaba en Stella Rivers.

—Naturalmente. ¿Y quién no?

—También eran sus vacaciones de mitad del trimestre —dijo Burden—. Era hija única de padres divorciados. También desapareció en Mill Lane. Son muchas coincidencias.

—Y muchas discrepancias. Para empezar, era mujer, y mayor que John. Sabes muy poco acerca del caso Rivers. Estabas de baja cuando ocurrió.

Creyeron que Burden se hallaba al borde de un colapso. En febrero había sufrido el primer ataque por la muerte de Jean, víctima del dolor, el pánico y la angustia. Estaba en la cama, dormido, cuando el doctor Crocker lo drogó. Al recobrar el conocimiento, empezó a gritar que sólo era una gripe, que tenía que levantarse y volver al trabajo. Pero llevaba fuera de servicio tres semanas, y cuando finalmente mejoró había adelgazado doce kilos. Con todo, seguía vivo, en tanto que Stella Rivers había muerto o desaparecido de la faz de su pequeña tierra.

—Stella Rivers —prosiguió Wexford— vivía con su madre y su padrastro. El jueves 25 de febrero asistió a su clase de hípica en Equita, la escuela de equitación de Mill Lane próxima a Forby. Normalmente iba los sábados, pero había decidido tomar clases suplementarias aprovechando las vacaciones. El padrastro, Ivor Swan, la acompañó en coche, pero no dejaron claro cómo volvería a casa.

—¿Qué quiere decir con eso?

—Tras la desaparición de la muchacha, Ivor y Rosalind Swan declararon que Stella había dicho que volvería a casa en el coche de una amiga, como hacía otras veces, pero por lo visto Stella no pensaba lo mismo y creía que Swan la recogería. Cuando dieron las seis (la clase terminaba a las cuatro y cuarto), Rosalind Swan habló con la amiga de su hija y acto seguido nos telefoneó.

»Primero fuimos a Equita y hablamos con la directora de la escuela, la señorita Williams, y con su ayudante, una tal señora Fenn. Ambas aseguraron que Stella se había marchado a las cuatro y media, sola. En ese momento diluviaba, pero había empezado a llover a las cinco menos veinte. Finalmente dimos con un hombre que había visto a Stella a las cinco menos veinte y se había ofrecido a acompañarla en coche hasta Stowerton. La muchacha caminaba por Mill Lane en dirección a Stowerton. Stella rechazó la invitación, lo cual indicaba que era una chica sensata que no aceptaba ofertas de extraños.

—Tenía doce años, ¿no es cierto? —preguntó Burden.

—Doce, en efecto. Una muchacha delgada y rubia. El hombre que se ofreció a acompañarla se llama Walter Hill y dirige la sucursal del Midland Bank en Forby. Es un hombre perfectamente respetable y no tuvo nada que ver con la desaparición de la muchacha. Lo comprobamos dos veces. Ninguna otra persona apareció diciendo que había visto a Stella. Por lo visto, la muchacha salió de Equita convencida de que su padrastro la recogería y luego se desvaneció en el aire.

»Ahora no puedo extenderme con detalles, pero naturalmente investigamos a Ivor Swan con sumo detenimiento. Dejando a un lado el hecho de que no poseía una verdadera coartada para aquella tarde, no había motivos para pensar que deseara hacer daño a su hijastra. Ella estaba encantada con Swan, hasta se diría que lo adoraba. Ningún familiar o amigo de los Swan tenía conocimiento de que existieran problemas familiares. Y sin embargo...

—¿Y sin embargo qué?

Wexford titubeó.

—Ya conoces esa sensación, Mike, ese presentimiento casi sobrenatural de que algo... en fin, de que algo falla.

Burden asintió. Sabía de qué hablaba Wexford.

—El caso es que tuve ese presentimiento, pero no fue más que eso, un presentimiento. La gente hace alarde de su intuición porque se obstina en recordar únicamente los casos en que ha acertado. Yo nunca me permito olvidar las numerosas ocasiones en que mis premoniciones han sido erróneas. No hallamos un solo indicio que nos permitiese detener a Swan. Mañana tendremos que resucitar el caso. ¿Adónde vas?

—A casa de la señora Lawrence —respondió Burden.

La señora Crantock abrió la puerta al inspector con expresión angustiada.

—Me temo que no estoy siendo de gran ayuda —susurró en el vestíbulo—. La señora Lawrence y yo nos conocemos poco, ¿comprende? Sólo somos vecinas cuyos hijos juegan juntos. No sé qué decir. Generalmente hablamos de nuestros pequeños, pero ahora, en fin... no me pareció... —Se encogió de hombros en un gesto de impotencia—. Con ella no puedo charlar de temas corrientes, como la casa o lo que ocurre en el barrio. Es imposible. —Frunció el entrecejo, en un esfuerzo sobrehumano por explicar lo inexplicable—. Tal vez si yo pudiera hablar de libros... o algo así. Es muy diferente de las personas que conozco.

—Estoy seguro de que lo ha hecho muy bien —la tranquilizó Burden, y pensó que él sí sabía qué temas podían interesar a la señora Lawrence. Su idea de la conversación sería un análisis interminable de las emociones.

—En fin, por lo menos lo he intentado —dijo la señora Crantock, y alzando la voz, agregó—: Me voy, Gemma, pero volveré más tarde si lo deseas.

Gemma. Un nombre curioso. Burden pensó que era la primera vez que topaba con ese nombre. Por fuerza había de tener un nombre extravagante, ya fuera por decisión de unos padres igualmente excéntricos o —lo que parecía más probable— porque ella misma lo había elegido por su originalidad. Súbitamente impaciente consigo mismo, se preguntó por qué seguía especulando sobre esa mujer de forma tan irritante, por qué cada nuevo dato que descubría acerca de ella daba lugar a una pregunta. «Porque está, o pronto lo estará, involucrada en un caso de asesinato», pensó Burden. Abrió la puerta de la sala de estar obsesionado por la imagen rimbombante, salvaje y escandalosa que había elaborado de ella y se detuvo en seco, desconcertado por la estampa que tenía ante sus ojos. Y, con todo, era la misma estampa que había dejado antes, una muchacha pálida y asustada, encogida en una silla, esperando, esperando...

La señora Lawrence había encendido una estufa

eléctrica que a duras penas conseguía caldear la estancia, y estaba envuelta en uno de los chales que él ya conocía, una cosa negra y dorada, gruesa, con largos flecos. Burden no podía imaginarla con un niño o leyendo cuentos antes de dormir o vertiendo cereales en un cuenco. Sentada en algún club nocturno, cantando y tocando la guitarra, sí, eso sí.

—¿Le apetece una taza de té? —preguntó la señora Lawrence, volviéndose hacia él—. ¿Unos emparedados? Puedo hacerlos en un momento.

—No se moleste por mí.

—¿Tendrá su mujer algo que darle cuando llegue a casa?

—Mi cuñada —puntualizó Burden—. Mi mujer ha muerto.

No le gustaba decirlo. La gente enseguida se sentía incómoda, se sonrojaba o incluso retrocedía levemente, como si padeciera una enfermedad contagiosa. Después descargaban el torpe aluvión de falsas condolencias, palabras vacías pronunciadas atropelladamente y al instante olvidadas. A nadie parecía importarle realmente, al menos hasta ese momento.

Gemma Lawrence habló suave y pausadamente.

—Lo siento mucho —dijo—. Debía de ser muy joven. Una terrible tragedia para usted, sin duda. Ahora comprendo qué le ha enseñado a ser tan amable con la gente que tiene problemas.

Burden se avergonzó de sí mismo, y la vergüenza le hizo balbucir.

—Yo... en fin... creo que aceptaré esos emparedados, si no es mucha molestia.

—¿Molestia? —preguntó sorprendida, como si esa fórmula convencional fuera nueva para ella—. Es natural que desee compensarle por todo lo que está haciendo por mí.

La señora Lawrence apareció a los pocos minutos con los emparedados. Era obvio que su elaboración no había exigido demasiado tiempo. El jamón aparecía torpemente embutido entre gruesas rebanadas de pan de molde y para servir el té había prescindido de platos en que apoyar las tazas.

Las mujeres habían mimado a Burden durante toda su vida. Comía en platos de porcelana y le servían de bandejas adornadas con encajes. Cogió un emparedado sin demasiado entusiasmo, pero cuando dio el primer bocado comprobó que el jamón era sabroso y no demasiado salado, y el pan era del día.

Gemma se sentó en el suelo, frente a Burden, y recostó la espalda en el sillón. El inspector había dicho a Wexford que tenía muchas preguntas que hacer a la señora Lawrence y se aventuró a formular algunas. Preguntas de rutina acerca de las personas adultas que John conocía, sobre los padres de sus compañeros de escuela, sobre sus propios amigos. La mujer respondía con serenidad e inteligencia, y el policía que había en Burden registraba las respuestas automáticamente. Pero algo extraño estaba sucediéndole. Con curiosa inquietud, se vio asimilando un hecho que cualquier otro hombre habría observado nada más poner los ojos en ella. La señora Lawrence era hermosa. La palabra lo impulsó a apartar la mirada, pero llevándose, como impresa en la retina, una imagen nítida de ese rostro pálido de huesos bien formados y, lo que resultaba aún más perturbador, de esas largas piernas y esos pechos firmes y turgentes.

Su cabello adquiría un tono bermejo a la luz de la estufa, los ojos poseían el verde diáfano y acuoso de las joyas que reposan bajo el mar. El chal le confería un toque exótico, como si fuese la imagen de un retrato prerrafaelita, quieta, irreal, inadecuada para las tareas cotidianas. Y sin embargo había en ella algo absolutamente natural e impulsivo. Demasiado natural, pensó Burden súbitamente alarmado, demasiado real. Más real, consciente y natural de lo que cabría esperar de cualquier mujer.

Rápidamente dijo:

—Señora Lawrence, estoy seguro de que advirtió a John que no hablara con extraños.

El rostro de ella palideció.

—Oh, por supuesto.

—Pero ¿comentó él alguna vez que un hombre le había hablado?

—No, nunca. Yo misma lo acompaño a la escuela y lo recojo todos los días. Únicamente lo dejo solo cuando sale a la calle a jugar, y entonces está con los demás niños. —Levantó la cabeza. El recelo había desaparecido—. ¿Adónde quiere ir a parar?

¿Por qué tenía que ser tan directa?

—Nadie me ha contado que viera a un extraño hablando con John —repuso Burden—, pero debo asegurarme.

—La señora Dean —dijo Gemma con el mismo tono inflexible— me ha contado que en febrero se perdió un niño en Kingsmarkham y jamás fue encontrado. Vino a decírmelo cuando la señora Crantock estaba aquí.

Burden quiso olvidar que alguna vez había sido aliado de la señora Dean. Sin tiempo para reflexionar, dijo con tono poco oficioso:

—¿Qué demonios les cuesta mantener el pico cerrado a esas entrometidas? —Se mordió los labios, preguntándose por qué las palabras de Gemma Lawrence habían generado tanta violencia en su interior y el deseo de presentarse en la casa de al lado y asestar un puñetazo a la señora Dean—. No era un niño, sino una niña —dijo—, y mucho mayor que John. Esa clase de... mmm... pervertido que necesita atacar a jovencitas no está interesado en niños pequeños. —¿Era eso verdad? ¿Quién podía comprender los misterios de una mente sana, y no digamos de una mente enferma?

La señora Lawrence se arrebujó en el chal y dijo:

—¿Qué va a ser de mí esta noche?

—Buscaré un médico. —Burden apuró el té y se levantó—. Me pareció ver una placa en Chiltern Avenue.

—Sí, es el doctor Lomax.

—Bien, le sacaremos unos somníferos a ese tal Lomax y encontraré una mujer para que pase la noche con usted. No se preocupe, no estará sola.

—No sé cómo darle las gracias —Gemma Lawrence bajó la cabeza y Burden advirtió que por fin lloraba—. Usted pensará que sencillamente está cumpliendo con su deber, pero está haciendo más que eso. Le... le estoy muy agradecida. Cada vez que lo miro pienso: «Nada malo puede ocurrirle a John mientras él esté aquí.»

Lo miraba del mismo modo que una niña debía de mirar a su padre, y sin embargo Burden no recordaba que sus hijos lo hubiesen mirado alguna vez así. Semejante confianza constituía una responsabilidad tremenda, y sabía que no debía fomentarla. Existía más de un cincuenta por cien de probabilidades de que el niño estuviera muerto, y él no era Dios para devolver la vida a los muertos. Debería haberle dicho que no se preocupara, que no pensase más en ello —¡qué cruel, qué estúpido e insensible!— pero todo lo que alcanzó a decir a esos ojos fue:

—Iré a ver al médico y me aseguraré de que pase una buena noche. —No era preciso añadir nada más, pero lo hizo—: No duerma demasiado. Volveré mañana a las nueve.

Después se despidió. No quería mirar hacia atrás, pero algo lo impulsó a hacerlo. Ella estaba de pie en el umbral, envuelta en una aureola ambarina, y el chal dorado con que se cubría y el cabello tan brillante que parecía de fuego, le conferían un aspecto tan curioso como extravagante. Gemma se despidió alzando una mano tímida, mientras con la otra se enjugaba las lágrimas que surcaban sus mejillas. Burden había visto fotografías de mujeres como ella, pero nunca había conocido o conversado con ninguna. Por un instante se preguntó si deseaba encontrar al niño, porque eso significaba que no volvería a verla. Se volvió bruscamente y partió en busca del doctor Lomax.

La enorme luna flotaba sobre los campos, pálida y brumosa, como sumergida en un remanso de agua. Burden aguardó el regreso de los pelotones de búsqueda. Era medianoche y no habían encontrado nada.

Grace le había dejado una nota: «John te esperó hasta las once para que lo ayudaras con los ejercicios de matemáticas. ¿Puedes echarles un vistazo? Estaba muy nervioso. G.»

Burden tardó unos segundos en asimilar el hecho de que su hijo también se llamaba John. Ojeó los deberes y, según pudo comprobar, los ejercicios de álgebra estaban correctos. Tanto alboroto para nada. Grace comenzaba a pasarse con sus fastidiosas notitas. Abrió la puerta del dormitorio de su hijo y advirtió que dormía. Grace y Pat descansaban en la habitación que él había compartido con Jean —le había resultado imposible seguir durmiendo allí después de su muerte— y no tuvo valor para abrir la puerta. Ya en su dormitorio, el dormitorio de Pat, un espacio reducido con bailarinas danzando en las paredes, muy apropiado para una niña de once años, se sentó en la cama y notó que el cansancio menguaba y lo dejaba tan despierto como a las ocho de la mañana. Lo lógico habría sido caer exhausto, pero cuando se quedaba solo lo asaltaba de inmediato esa necesidad espantosa, degradante.

Hundió la cabeza en las manos. Todos pensaban que echaba de menos a Jean como compañera, como la persona con quien hablaba y compartía los problemas. Y así era, con toda su alma. Pero lo que realmente atormentaba sus días y sus noches, sin tregua, era ese deseo carnal que no había liberado en diez meses y que se había transformado en una obsesión secreta y torturadora.

Sabía perfectamente lo que todos pensaban de él. Que era frío como una piedra, intolerante con el libertinaje, que lloraba la muerte de Jean sólo porque se había acostumbrado al matrimonio y era lo que Wexford llamaba un bragazas incurable. Tal vez lo imaginaban, si alguna vez se habían detenido a pensar en ello, haciendo el amor una vez cada quince días con la luz apagada. Eso piensa la gente de los hombres como Burden que huyen de los chistes picantes y consideran inmunda esta sociedad permisiva.

No eran capaces de imaginar que uno podía odiar la promiscuidad y el adulterio porque había experimentado el matrimonio hasta tal grado de excelencia que todo lo demás era una parodia, una pobre imitación. Fuiste afortunado, pero... ¡oh, Dios, desafortunado también!, un ser desorientado y enfermo cuando todo terminó. Jean era virgen cuando se casaron, y él también. La gente decía —las cosas estúpidas que dice la gente estúpida— que el matrimonio era penoso al principio, pero no había sido así para él y para Jean. Ellos fueron pacientes y generosos, rebosaban de amor, y se sintieron tan generosamente recompensados que, cuando miraba hacia atrás desde su actual desierto, apenas podía creer que hubiese sido tan fantástico casi desde el comienzo, sin fracasos, sin decepciones. Pero podía creerlo porque sabía, y recordaba y sufría.

¿Y si ellos lo supieran? Estaba seguro del consejo que le darían. Búscate una chica, Mike. Nada serio, sólo una chica fácil y simpática con la que divertirte un poco. Quizá le resultaría fácil si estuviera acostumbrado a sacar los pies del plato. Pero jamás había sido amante de nadie salvo de Jean. Para él, el sexo era Jean. La gente no comprendía que aconsejarle que se buscase otra mujer era como decirle a Gemma Lawrence que se buscara otro hijo.

Se desvistió y se tumbó en la cama boca abajo, con los puños concienzudamente cerrados bajo la almohada. Sabía perfectamente cómo transcurriría la noche. Todas las noches eran iguales. Primero el deseo, el dolor puramente físico, como si su cuerpo fuera un enorme aullido que no encuentra salida, y luego ese sueño orgiástico, generoso, que lo embestía justo antes del alba.

4

Grace decidió que si advertía en Mike el menor intento de disculpa, no diría una palabra. Naturalmente, su cuñado tenía que trabajar, y a veces no podía desaparecer sin poner en peligro su trabajo. Conocía esa clase de situaciones. Antes de ocupar el puesto de su hermana salía con amigos del sexo opuesto; algunos eran sencillamente eso, amigos, y otros, unos pocos, eran amantes, y muchas veces se veía obligada a cancelar la cita debido a una emergencia en el hospital. Pero al día siguiente siempre telefoneaba o escribía una nota explicando el motivo.

Mike no era su amante, sino su cuñado. ¿Significaba eso que no le debía nada, ni siquiera un mínimo gesto de educación? ¿Acaso tenía derecho a dar plantón a sus hijos sin ofrecerles una explicación, incluso cuando John, llegada la medianoche, seguía temblando de nervios porque no creía que hubiera hecho bien los ejercicios de álgebra y sabía que en caso contrario el viejo profesor Parminter lo obligaría a quedarse después de clase?

Preparó huevos con tocino para todos y extendió un mantel limpio sobre la mesa del comedor. Como tantas otras veces, deseó que su hermana no hubiese sido un ama de casa tan pulcra y correcta, tan perfecta en casi todo lo que hacía, que por lo menos hubiese consentido en servir el desayuno en la cocina. Vivir de acuerdo con Jane podía resultar una carga.

El semblante de Grace se tensó cuando Mike entró en el comedor, saludó a los niños con un gruñido y se sentó a la mesa sin decir palabra. Evidentemente, su cuñado no tenía intención de mencionar el suceso del día anterior. Pero ella sí.

—Los ejercicios de álgebra estaban más que correctos, John.

La cara del muchacho se iluminó, como ocurría siempre que Burden se dirigía a él.

—Eso pensé yo. No es que me importe, pero si estuviesen mal el Cara de Menta me obligaría a quedarme después de clase. Supongo que no piensas acompañarme a la escuela.

—No puedo —dijo Burden—. El paseo te sentará bien. —Sonrió sin demasiado entusiasmo a su hija—. Y eso también va por ti, señorita. Debéis iros ya, son casi las ocho y media.

Grace no tenía por costumbre acompañar a los niños hasta la puerta, pero esta vez lo hizo para contrarrestar la frialdad de su padre. Cuando regresó al comedor, Burden iba por su segunda taza de té. Antes de poder detenerse, Grace estalló en una larga diatriba sobre los nervios de John y el desconcierto de Pat y lo abandonados que los tenía.

Burden escuchó y luego dijo:

—¿Por qué a las mujeres... —comenzó, pero rectificó enseguida, haciendo la inevitable excepción—. Por qué a la mayoría de las mujeres les cuesta tanto comprender que el hombre tiene que trabajar? Si yo no trabajara, Dios sabe qué sería de vosotros.

—¿Estabas trabajando cuando la señora Finch te vio sentado en el coche en el bosque de Cheriton?

—¡La señora Finch debería mantener las narices en sus propios asuntos! —estalló Burden.

Grace se volvió y se encontró contando lentamente hasta diez.

—Mike —dijo—, entiendo cómo te sientes.

—Permíteme que lo dude.

—Bien, creo que puedo entenderlo. Pero John y Pat no pueden. John te necesita, y te necesita alegre y relajado, como... como antes. Mike, ¿no podrías llegar a casa más temprano? Hay una película que los niños desean ver. Empieza a las siete y media, de modo que bastaría con que llegaras a las siete. Podríamos ir todos juntos. Significaría mucho para ellos.

—De acuerdo, lo intentaré —dijo Burden—. No pongas esa cara, Grace. Estaré en casa a las siete.

A Grace se le iluminó el semblante, e hizo algo que no hacía desde la boda de su cuñado. Se inclinó y le dio un beso en la mejilla. Después, se apresuró a recoger la mesa. Estaba de espaldas a Burden, de modo que no vio su estremecimiento ni la forma en que se llevó la mano a la cara, como alguien que acaba de recibir una picadura.

Gemma Lawrence se había puesto unos tejanos limpios y un jersey grueso, también limpio. Llevaba el pelo recogido con una cinta y olía a jabón, como una niña buena y aseada.

—He dormido de un tirón.

Burden sonrió.

—Un hurra por el doctor Lomax —dijo.

—¿Todavía están buscando?

—Naturalmente. ¿Acaso no le di mi palabra? Hemos reunido todo un ejército de policías de los distritos vecinos.

—El doctor Lomax es un hombre muy amable. Me contó que cuando vivía en Escocia, antes de trasladarse aquí, su hijo pequeño desapareció y lo encontraron dormido en la choza de un ovejero, abrazado al perro pastor. Había vagado durante kilómetros y el animal lo encontró y cuidó de él como de una oveja extraviada. Me recordó a la loba de Rómulo y Remo.

Burden nunca había oído hablar de Rómulo y Remo, pero dejó escapar una carcajada.

—¿Lo ve? —No tenía intención de desanimarla señalando que no estaban en Escocia, tierra de montañas solitarias y perros amistosos—. ¿Qué planes tiene para hoy? No quiero que esté sola.

—La señora Crantock me ha pedido que almuerce con ella, y los vecinos me visitan continuamente. Son muy amables conmigo. Ojalá tuviera algún amigo íntimo por aquí. Todos mis amigos viven en Londres.

—El trabajo es el mejor remedio contra las preocupaciones. Distrae la mente.

—Por desgracia, no tengo trabajo.

Él se refería al trabajo doméstico, a limpiar, ordenar, coser, tareas que consideraba esencialmente femeninas, y al respecto había mucho que hacer en esa casa. Pero no podía decírselo a Gemma.

—Supongo que me sentaré y escucharé un poco de música —dijo ella mientras recogía una taza sucia de encima del tocadiscos y la dejaba en el suelo—. O quizá lea.

—Vendré a verla en cuanto tengamos alguna novedad. No telefonearé, vendré.

Los ojos de la señora Lawrence se iluminaron.

—Si fuera primera ministra lo nombraría comisario de policía.

Burden condujo hasta el bosque de Cheriton, donde se concentraba la búsqueda, y encontró a Wexford sentado sobre el tronco de un árbol. Era una mañana nebulosa y el inspector jefe llevaba puesta su vieja gabardina y un sobado sombrero de fieltro hundido hasta las cejas.

—Tenemos una pista sobre el coche, Mike.

—¿Qué coche?

—Ayer por la noche uno de los rastreadores explicó a Martin que había visto un coche aparcado en Mill Lane. Al parecer en agosto tuvo una semana de vacaciones y cada día paseaba a su perro por Mill Lane. En tres ocasiones advirtió la presencia de un automóvil aparcado cerca del lugar donde la señora Mitchell solía ver al hombre. Se fijó en el vehículo porque ocupaba un carril entero y entorpecía el tráfico. Un Jaguar rojo. Pero obviamente no anotó el número de la matrícula.

—¿Vio al dueño del coche?

—No vio a nadie. Necesitamos encontrar a alguien que utilice asiduamente esa carretera. Un panadero, por ejemplo.

—Déjemelo a mí —dijo Burden.

A lo largo de la mañana el inspector dio con un repartidor de pan que pasaba diariamente por esa calle y con el conductor de una furgoneta de refrescos que la cruzaba los miércoles y viernes. El panadero se acordaba del automóvil porque una tarde, al doblar la esquina, casi se estrelló contra él. Un Jaguar rojo, declaró, pero tampoco anotó la matrícula. El día anterior había pasado por delante del parque infantil a las dos, pero el coche ya no estaba. A las cuatro y media dos mujeres en un automóvil le preguntaron si había visto a un niño, pero para entonces ya estaba cerca de Forby. Quizá el Jaguar rojo lo adelantó, quizá llevaba un niño dentro, pero no podía recordarlo.

El hombre de los refrescos era menos observador. Nunca advirtió nada extraño en la carretera, ni en agosto ni últimamente.

Burden regresó a la comisaría y tomó un almuerzo ligero en el despacho de Wexford. Pasaron la tarde interrogando a un triste tropel de hombrecillos sospechosos, la mayoría de estatura inferior a la media, que en alguna ocasión habían hecho proposiciones deshonestas a niños. Entre ellos se encontraba el joven retrasado de diecinueve años cuya especialidad consistía en aguardar frente a la entrada de las escuelas; el profesor maduro de enseñanza primaria despedido muchos años atrás; el ayudante de mercería que gustaba de entrar en los compartimientos de los trenes ocupados por niños solitarios; el esquizofrénico que violó a su hija pequeña y más tarde fue dado de alta del hospital psiquiátrico.

—Qué trabajo tan encantador el nuestro —ironizó Burden—. Tengo la piel de gallina.

—Deberías estar agradecido —replicó Wexford—. Podrías haber sido uno de ellos si tus padres te hubiesen rechazado. Yo podría ser uno de ellos si hubiese respondido a las insinuaciones de que era objeto en los lavabos de la escuela. Esa gente vive en la penumbra, nace, como bien dijo Blake o algún listillo, a una noche interminable. La compasión no cuesta dinero, Mike, y es mucho más edificante que clamar por palizas, ahorcamientos y castraciones.

—No clamo, señor. Sencillamente creo que el autodominio es algo que debe cultivarse. Y toda mi compasión es para la madre y el pobre niño.

—De acuerdo, pero la verdadera piedad no hace diferencias. El problema contigo es que eres un colador atascado y tu compasión se cuela por un par de agujeritos miserables. En cualquier caso, ninguno de estos pobres desgraciados estuvo ayer cerca de Mill Lane. Tampoco imagino a ninguno de ellos corriéndose una juerga con un Jaguar rojo.

Para quien no ha salido de noche una sola vez en diez meses, la perspectiva de un viaje al cine en compañía de su cuñado y los dos hijos de éste puede parecer una ostentación. Grace Woodville entró en la peluquería a las tres y salió de ella más eufórica que el primer día que Pat se acercó a darle un beso de motu proprio. Había un bonito jersey de color marrón en el escaparate de Moran, y Grace, que llevaba meses sin comprarse nada, decidió en un impulso adquirirlo.

Esa noche Mike tendría una cena especial: pollo al curry. Jean nunca cocinaba ese plato porque no le gustaba, pero Mike y los niños lo adoraban. Compró un pollo y para cuando John y Pat regresaron del colegio, la casa estaba inundada de los generosos aromas de la salsa de curry y la piña ácida.

Preparó la mesa para las seis y se puso el jersey nuevo. A las siete menos cinco todos estaban sentados en la sala, acicalados y algo encogidos, más como personas que aguardan para asistir a una fiesta que como una familia que planea ir al cine local.

Las llamadas telefónicas habían comenzado. Llegaban a la comisaría de Kingsmarkham procedentes no sólo del distrito de Sussex, sino también de Birmingham y Newcastle, y hasta del norte de Escocia. Todas aseguraban haber visto a John Lawrence solo o en compañía de un hombre, o de dos hombres, o de dos mujeres. Una mujer de Carlisle dijo que lo había visto con Stella Rivers. Un tendero de Cardiff le había vendido un helado. Un camionero llevó al muchacho y a su acompañante, un hombre de mediana edad, hasta Grantham. Había que verificar todas las historias, aunque parecieran infundadas.

La gente acudía en tropel a la comisaría con relatos de sujetos misteriosos y coches aparcados en Mill Lane. Para entonces no sólo los Jaguar rojos eran sospechosos, sino también los negros y los verdes, y las furgonetas oscuras y los coches de tres ruedas. Y entretanto, la ardua búsqueda continuaba. Trabajando sin descanso, el equipo de Wexford proseguía su investigación sistemática casa por casa, interrogando principalmente a los varones mayores de dieciséis años.

Las siete menos cinco pillaron a Burden fuera del hotel Olive y Dove de la calle High Street de Kingsmarkham. En la acera de enfrente estaba el cine, y recordó su cita con Grace y los niños, y recordó, también, que debía ver a Gemma Lawrence antes de terminar la jornada.

La cabina situada frente al hotel estaba ocupada y había una cola de gente esperando. Burden estimó que para cuando llegara su turno ya habrían pasado más de diez minutos. Miró la cartelera del cine y comprobó que aunque la sesión comenzaba a las siete y media, la película en cuestión no se proyectaba hasta una hora más tarde. No había necesidad de telefonear a Grace. Sin duda disponía de tiempo para ir a Stowerton, ver cómo se encontraba la señora Lawrence y llegar a casa para las ocho menos cuarto.

Grace lo conocía bien y no esperaba que fuese puntual. Además, seguro que Pat y John preferían ahorrarse el documental sobre la Anglia oriental, el noticiario y los avances.

Esta vez encontró el portal cerrado. La calle aparecía desierta y todas las casas estaban generosamente iluminadas. Era como si el día anterior no hubiese sucedido nada capaz de perturbar la paz de esa calle tranquila. Las horas pasaban, hombres y mujeres reían, hablaban, trabajaban, miraban la televisión y decían: «¿Qué se le va a hacer? Así es la vida.»

No había luz en casa de Gemma Lawrence. Burden llamó a la puerta, pero nadie acudió. «Tal vez ha salido», pensó. ¿Con su hijo desaparecido, tal vez incluso muerto? Recordó su forma de vestir, el estado de la casa. Una chica alegre, pensó, inadecuada para el papel de madre. Probablemente estaba por ahí con algún amigo londinense que había venido a verla.

Volvió a llamar y esta vez oyó algo, unos pies arrastrándose, unos pasos que alcanzaban la puerta y vacilaban.

—¿Señora Lawrence? —preguntó Burden alzando la voz—. ¿Se encuentra bien?

A sus oídos llegó algo semejante a una respuesta, mitad sollozo, mitad gemido. La puerta se abrió lentamente. Gemma tenía la cara desfigurada, hinchada y bañada en lágrimas. Estaba llorando. El inspector cerró la puerta y encendió una luz.

—¿Qué le ocurre?

Gemma se volvió de espaldas, se abalanzó contra la pared y comenzó a golpearla con los puños.

—¡Oh, Dios! ¿Qué va a ser de mí?

—Sé que es duro —musitó tímidamente Burden—, pero estamos haciendo todo lo humanamente posible. Estamos...

—Sus hombres —dijo Gemma entre sollozos— se han pasado el día entrando y saliendo de mi casa, inspeccionando y... y haciéndome preguntas. ¡Han registrado mi casa! La gente no para de llamar, gente horrible. ¡Oh, Dios! Una mujer dijo que John estaba muerto y... y me describió cómo había muerto y dijo que era culpa mía. No puedo soportarlo más. Abriré el gas... me cortaré las venas...

—¡Basta! —gritó Burden. La mujer se volvió hacia él y comenzó a gritar. El inspector alzó una mano y le dio una bofetada en la mejilla. Entonces ella calló, tragó saliva y se desplomó sobre él. Para evitar que cayera, Burden la rodeó con sus brazos y por un momento ella se aferró a él, como en un abrazo de amantes, y hundió el rostro húmedo en su cuello. Luego retrocedió y sacudió la cabeza, dejando volar su roja melena.

—Lo siento —se disculpó. Tenía la voz ronca a causa del llanto—. Creo que estoy volviéndome loca.

—Cuéntemelo todo. Antes parecía más optimista.

—Eso era esta mañana. —Se había serenado y hablaba con voz suave y quebrada. Poco a poco, y sin demasiada coherencia, contó al inspector cómo el policía había registrado los armarios y revuelto los desvanes y cómo habían arrancado la maleza que asfixiaba las raíces de los añosos árboles de su agreste jardín. Respirando entrecortadamente, habló de las llamadas y de las cartas obscenas, inspiradas en la crónica publicada en el periódico de la tarde del día anterior, que habían llegado en el correo de la tarde.

—No debe abrir ninguna carta a menos que reconozca la letra —advirtió Burden—. Primero la examinaremos nosotros. En cuanto a las llamadas...

—El sargento dijo que ustedes se encargarían de intervenir mi línea telefónica. —Más tranquila, Gemma dejó escapar un profundo suspiro, pero las lágrimas aún surcaban sus mejillas.

—¿Hay algo de brandy en este... lugar?

—En el comedor. —Gemma consiguió esbozar una sonrisa—. Pertenecía a mi tía abuela. Este... lugar, como usted lo llama, era suyo. El brandy aguanta muchos años, ¿no es cierto?

—De hecho, mejora con los años —aseguró Burden.

El comedor, cavernoso y frío, olía a polvo. Burden se preguntó qué mezcla de circunstancias había conducido a Gemma Lawrence hasta esa casa y por qué seguía en ella. El brandy dormitaba en un aparador que más que un mueble parecía una mansión de madera, debido a los pilares labrados, las arcadas, hornacinas y balcones que lo adornaban.

—¿No me acompaña? —preguntó Gemma.

El inspector vaciló.

—De acuerdo —dijo él por fin.

Burden regresó al sillón que había ocupado antes de visitar el comedor y Gemma se sentó en el suelo, con las piernas recogidas y contemplando al inspector con extraña fe ciega. La única lámpara encendida creaba una aureola dorada detrás de su cabeza.

Gemma bebió de su brandy y durante largo rato ambos permanecieron en silencio. Cuando entró en calor, ya más tranquila, comenzó a hablar del hijo perdido, de las cosas que decía y le gustaba hacer, de su inteligencia precoz. Habló de Londres y de lo extraño que a ambos les resultaba Stowerton. Después calló y miró fijamente a Burden, pero éste había perdido el azoramiento que al principio había provocado en él esa mirada infantil y confiada, y ese azoramiento no resucitó siquiera cuando ella, inclinándose impulsivamente, le estrechó la mano con fuerza.

No estaba azorado, pero el contacto de su mano fue como una descarga eléctrica. Se sentía tan agitado que en lugar de reaccionar como un hombre normal que sostiene la mano de una mujer bonita, tuvo la impresión de que todo su cuerpo se abrazaba al cuerpo de ella. El efecto de semejante ilusión lo estremeció. Retiró la mano y, rompiendo el silencio ahora pesado y lánguido, dijo bruscamente:

—Usted es londinense y le gusta Londres. ¿Por qué vive aquí?

—Es espantosa, ¿verdad? —Su voz volvía a ser suave y sonora. Aunque Burden había esperado una respuesta a su pregunta, el sonido de su hermosa voz, bastante normal ahora, lo perturbó casi tanto como el contacto de su mano—. Esta casa es como un elefante enorme y decrépito.

—Si usted lo dice —murmuró el inspector.

—No es ningún secreto. Ni siquiera sabía que tenía una tía abuela. Falleció hace tres años y dejó esta casa a mi padre, que estaba muy enfermo de cáncer. —Con gesto particularmente garboso y natural, alzó una mano y se echó hacia atrás la abundante cabellera. Al hacerlo, la manga ricamente bordada de su extraña túnica se deslizó hasta el hombro, revelando una piel blanqueada por la luz de la lámpara—. Traté de venderla, pero nadie la quería, y luego mi padre murió y Matthew, mi marido, me abandonó. No tenía otro lugar a donde ir. No podía pagar el alquiler del apartamento de Londres y ya me había gastado el dinero que Matthew me había dado. —Parecía que habían pasado horas desde que esos ojos se posaron en Burden cuando al fin desvió la mirada—. La policía —añadió en un susurro— piensa que Matthew pudo haberse llevado a John.

—Lo sé. Es algo que debemos comprobar cuando desaparece un niño de padres... mmm... enemistados o divorciados.

—La policía fue a verlo, o por lo menos lo intentó. Está ingresado en el hospital, a la espera de que le extirpen el apéndice. Creo que hablaron con su esposa. Ha vuelto a casarse, ¿comprende?

Burden asintió. Impulsado por algo más que la curiosidad natural de un policía, deseaba ardientemente saber si ese Matthew se había divorciado de ella o ella de él, cómo se ganaba la vida, qué había provocado la ruptura de su matrimonio. No podía preguntárselo. Sentía que se le hacía un nudo en la garganta.

Gemma se acercó un poco más a él, pero esta vez no buscó su mano. El cabello le cubría la mitad del rostro.

—Quiero que sepa —comenzó— que me ha ayudado mucho y ha sido un gran consuelo para mí. Esta noche me habría hundido si usted no hubiese aparecido. Estaba dispuesta a cometer una locura.

—No debe permanecer sola.

—Tengo los somníferos, y la señora Crantock vendrá a las diez. —Se levantó lentamente y encendió la lámpara de pie—. Pronto llegará, sólo faltan cinco minutos para las diez.

Las palabras de Gemma Lawrence y el súbito resplandor devolvieron a Burden a la realidad. El inspector parpadeó y se enderezó.

—¿Las diez menos cinco? Acabo de recordar que debía llevar a mi familia al cine.

—¿Lo he entretenido? ¿Quiere telefonear? Utilice mi teléfono, se lo ruego.

—Me temo que es demasiado tarde.

—Lo lamento terriblemente.

—Creo que mi presencia aquí era más importante, ¿no le parece?

—Lo ha sido para mí. Pero ahora debe irse. ¿Volverá mañana?

Burden estaba de pie al lado de la puerta. Gemma posó una mano suave sobre su brazo. Sus rostros estaban muy próximos, apenas separados por unos centímetros.

—Yo... esto... claro —tartamudeó el inspector—. Por supuesto que vendré.

—Inspector Burden... No, no puedo seguir llamándolo así. ¿Cuál es su nombre de pila?

—Creo que sería mejor si... —comenzó Burden, y luego, casi con desesperación, dijo—: Michael. La gente me llama Mike.

—Mike —dijo ella, y en ese instante, mientras repetía el nombre en voz baja, la señora Crantock llamó a la puerta.

Burden encontró a Grace acurrucada en el sofá y advirtió que había estado llorando. Por un momento, la enormidad de lo que había hecho superó la otra enormidad, el deseo de su cuerpo.

—Lo siento mucho —se disculpó, acercándose a ella—. La cabina estaba ocupada y después...

Grace levantó la cabeza.

—Estuvimos aquí sentados, esperándote. A las ocho, al ver que no llegabas, cenamos, aunque la comida se había estropeado. Dije: «Vayamos de todos modos», pero John contestó: «No podemos ir sin papá. No podemos dejar que llegue a casa y no encuentre a nadie.»

—He dicho que lo siento —insistió Burden.

—¡Podrías haber telefoneado! —le increpó vehementemente Grace—. Si hubieses llamado, lo habría comprendido. Si sigues por ese camino, acabarás destrozando a tus hijos.

Grace salió y cerró la puerta a sus espaldas, dejando a Burden sumido en unos pensamientos que nada tenían que ver con su cuñada y sus hijos.

5

Burden examinó la hoja que Wexford acababa de entregarle. Escritos en letra clara y enérgica pero infantil, aparecían los nombres de cada hombre, cada mujer y cada niño que Gemma Lawrence había conocido en los últimos diez años.

—¿Cuándo escribió todo esto?

Wexford lo miró con suspicacia.

—Esta mañana, con ayuda de Loring. No eres su detective privado.

Burden se sonrojó. ¡Esa mujer conocía a cientos de personas, y menudos nombres tenían! Artistas, modelos y actores de teatro, supuso, súbitamente malhumorado.

—¿Tenemos que interrogarlos a todos?

—La policía de Londres nos ayudará. Solicité a la señora Lawrence que anotara todos los nombres porque quiero mostrárselos a los Swan.

—¿Cree que existe relación entre ambos casos?

Wexford no respondió inmediatamente. Recuperó la lista y entregó a Burden otro papel.

—Ha llegado esto. Hemos buscado huellas dactilares, pero naturalmente no hemos hallado ninguna, de modo que puedes tocarlo tranquilamente.

—«John Lawrence está conmigo, sano y salvo —leyó Burden—. Está feliz en la granja jugando con mis conejos. Para demostrarles que no es ningún truco, incluyo un mechón de su cabello.» —La nota, redactada en mayúsculas en una hoja de papel rayado, estaba escrita y puntuada correctamente—. «Su madre podrá recuperarlo el lunes. Dejaré a John en el extremo sur de Myfleet Ride, en el bosque de Cheriton, a las nueve de la mañana. Si alguien intenta recogerlo antes de las nueve y media, dispararé contra el chico. Hablo en serio. Mantendré mi promesa si cooperan.»

Burden soltó la hoja de papel con aversión. Aun cuando estaba acostumbrado a esa clase de notas, todavía no podía leerlas sin estremecerse.

—¿Incluía un mechón de pelo? —preguntó.

—Ahí lo tienes.

Había sido retorcido hasta formar un círculo uniforme, como un rulo de mujer. Burden lo alzó con unas pinzas y apreció la delicadeza de cada hebra dorada, la ausencia de las arrugas y pliegues que caracterizan el pelo de un adulto.

—Es cabello humano —confirmó Wexford—. Lo primero que hice fue llevárselo a Crocker. Asegura que es pelo de niño, pero evidentemente hay que someterlo a pruebas más sofisticadas.

—¿Se lo has contado a la señora Lawrence?

—Gracias a Dios que está bien —dijo Gemma después de leer las primeras líneas. Luego apretó la carta contra su pecho, pero no lloró—. Está sano y salvo en una granja. ¡Dios mío, con la angustia que he pasado! Imagínese, todo para nada. Volveremos a estar juntos el lunes.

Burden estaba horrorizado. Le había advertido que no depositara sus esperanzas en esa carta, que en el noventa y nueve por ciento de los casos esas cartas constituían una trampa cruel. Para el caso que le había hecho, más le hubiera valido callarse.

—Déjeme ver el mechón de pelo.

De mala gana, Burden extrajo de su maletín el sobre que contenía el cabello de John. La señora Lawrence se sobresaltó cuando vio el ricito dorado. Hasta ese momento había sido cuidadosamente manipulado con ayuda de unas pinzas. Ahora ella lo cogía, lo acariciaba y lo apretaba contra sus labios.

—Acompáñeme arriba.

Burden la siguió hasta el dormitorio de John y observó que la cama del muchacho seguía deshecha desde su desaparición. Era, sin embargo, una habitación agradable, llena de juguetes, con las paredes empapeladas con un papel bonito y costoso que reproducía en acuarelas los animales de Durero. A pesar de lo descuidada que tenía el resto de la casa, se había preocupado de esa habitación y probablemente la había empapelado ella misma. La opinión que Burden tenía de la señora Lawrence como madre mejoró.

Gemma se acercó a una cómoda azul y cogió el cepillo de pelo de John. Había algunos cabellos finos y rubios atrapados entre las cerdas. Con fervorosa concentración, Gemma los comparó con el mechón que tenía en la mano. Después se volvió hacia el inspector y esbozó una sonrisa radiante.

Era la primera vez que Burden la veía sonreír de verdad. Hasta ese momento sus sonrisas habían sido breves y amargas, recordándole, pensó de pronto, un sol brumoso asomando después de la lluvia. Semejantes metáforas no eran frecuentes en él, no eran su estilo. Pero ahora lo pensaba, mientras absorbía el poderoso brillo de la sonrisa de Gemma y comprobaba una vez más lo hermosa que era.

—Es el mismo pelo, ¿verdad? —preguntó con un tono casi suplicante, mientras la sonrisa se desvanecía—. ¿Verdad?

—Lo ignoro. —El parecido era enorme, desde luego, pero Burden no sabía si deseaba que ese pelo fuera el mismo. Si ese hombre tenía realmente a John y había cortado realmente un mechón de su pelo, ¿qué probabilidades había de que dejara ir ileso al chico? ¿Se arriesgaría a que John lo identificase? Por otro lado, no había exigido dinero...—. Usted es su madre —murmuró—. Prefiero no opinar.

—Sé que mi hijo está bien —declaró Gemma—. Lo presiento. Sólo debo esperar dos días más.

A Burden le faltó valor para seguir hablando. Sólo un salvaje, pensó, habría sido capaz de destruir semejante felicidad. Deseaba arrebatarle la carta para que no leyera las últimas líneas, pero Gemma la leyó hasta el final.

—Sé cómo actúa la policía en casos como éste —dijo con voz nuevamente temblorosa—. ¿Ustedes no harán... no harán lo que este hombre dice que no hagan? No intentarán atraparlo, ¿verdad? Porque en ese caso, John...

—Le prometo —dijo Burden— que no haremos nada que pueda poner en peligro la vida de John. —Entonces reparó en que Gemma Lawrence no había mostrado rencor hacia el autor de la carta. Otras mujeres en su situación habrían gritado y clamado venganza. Ella simplemente estaba feliz—. Acudiremos el lunes por la mañana, a las nueve y media, y si John está en el lugar convenido, se lo traeremos.

—Estará —dijo ella—. Confío en ese hombre. Tengo la sensación de que es sincero. Le creo, Mike, de veras. —Burden se ruborizó al oír su nombre de pila. Notaba que las mejillas le ardían—. Probablemente está muy solo —continuó la mujer con voz suave—. Sé lo que es sentirse solo. Si John ha conseguido aliviar su soledad por unos días, no le guardaré rencor.

Era increíble, y Burden no podía entenderlo. Si hubiese raptado a su hijo, a su John, habría deseado acabar con ese hombre, verlo morir lentamente. De hecho, sus sentimientos hacia el autor de la carta eran tan vehementes que se asustó. «Dejádmelo a mí —pensó—. Dejadme cinco minutos a solas con él en la celda y por Dios que aunque pierda mi puesto...» Se interrumpió bruscamente y tropezó con la mirada amable, tierna y compasiva de Gemma.

En su premura por ver a Gemma Lawrence se había olvidado de los Swan, y de repente recordó a Wexford diciendo que la nota ayudaría a establecer una conexión entre ambos casos. El inspector jefe estaba todavía en su despacho.

—Swan vive en una granja —explicó Wexford—. He telefoneado pero no volverá antes de las tres.

—¿Tiene conejos?

—No me hables de conejos. Acabo de pasar una hora con la secretaria de la asociación de criadores de conejos local. ¡Conejos! El lugar está plagado de esos bichos. Conejos de Brasil, conejos de Angora, díganos su nombre y lo tendrá. Como dicen los apócrifos, «los conejos son criaturas frágiles, pero construyen sus moradas en las rocas».

—¿Están investigando a todos los criadores de conejos? —preguntó Burden sin sonreír.

Wexford asintió.

—Y a pesar de todo sé que esa maldita nota es una trampa —dijo—. Tendré que pasar el fin de semana, como muchos otros, cazando conejos y granjeros, verificando licencias de armas y mostrándome amable con expertos en cabello humano, aun a sabiendas de que es una trampa y que lo que hago es una completa pérdida de tiempo.

—Pero debe hacerse.

—Por supuesto que debe hacerse. Vamos a almorzar.

En el café Carousel sólo quedaba ensalada y jamón. Sin excesivo entusiasmo, Wexford picó de la ensalada de lechuga parsimoniosamente complementada con tiras de col y zanahoria.

—No puede uno escapar de los conejos —musitó—. ¿Quieres que te hable de Swan y su mujer?

—Alguien tiene que ponerme en antecedentes.

—Por regla general —comenzó Wexford—, uno tiende a sentir excesiva compasión por los padres de un niño extraviado, a dejarse implicar emocionalmente. —Levantó los ojos del plato, miró a Burden y apretó los labios—. Y esa tendencia es perjudicial —continuó—. Yo no sentí especial lástima por los Swan, y ahora te explicaré por qué. —Se aclaró la garganta y prosiguió—. Después de que Stella desapareciera, realizamos sobre la vida y el pasado de Ivor Swan la investigación más minuciosa que recuerdo haber llevado a cabo en toda mi vida. Podría escribir su biografía.

»Nació en la India, hijo de un tal general sir Rodney Swan. Cuando alcanzó la edad escolar fue enviado a Inglaterra y más tarde se matriculó en Oxford. Puesto que poseía lo que él llamaba unos pequeños ingresos privados, jamás se decantó por una carrera concreta y se dedicó a picar de aquí y de allá. Durante un tiempo administró unas propiedades, pero no tardó en ser despedido. Luego escribió una novela que vendió trescientos ejemplares, de modo que desistió de repetir el experimento. Después de eso pasó una temporada en Puerto Rico y en tres meses consiguió que su firma perdiera un cliente que suponía unos ingresos de veinte mil libras anuales. Una apatía innata y absoluta es lo que caracteriza a Ivor Swan. Es la indolencia en persona. Ah, y para colmo es un hombre atractivo. Espera a verlo.

Burden se sirvió un vaso de agua pero no dijo nada. Estaba observando cómo la expresión de Wexford se encendía y animaba a medida que avanzaba en su relato. También él en otros tiempos había sido capaz de involucrarse en el carácter de los sospechosos.

—Swan no disponía de una residencia fija —explicó Wexford—. Unas veces vivía con su madre viuda en su casa de Bedfordshire, otras con un tío que al parecer había ocupado un cargo importante en el ejército. Y ahora llegamos a un punto interesante de la historia. Dondequiera que vaya, siembra el desastre. No por lo que hace, sino por lo que no hace. Estando en casa de su madre se produjo un grave incendio. Por lo visto se había dormido con un cigarrillo encendido entre los dedos. Después vino la pérdida de un buen cliente debido a lo que no hizo, y su despido como administrador de la propiedad (en esa ocasión dejó un verdadero revuelo tras él), todo a causa de su desidia.

»Hace aproximadamente dos años desembarcó en Karachi. En aquella época trabajaba de periodista independiente y el propósito de su visita era investigar el supuesto contrabando de oro por parte de personal aéreo. Cualquier historia que hubiese pergeñado habría sido calificada de difamatoria, pero en

69

cualquier caso no llegó a escribirla, o ningún periódico se la publicó.

»Peter Rivers era empleado de una compañía aérea en Karachi. Su trabajo consistía en recibir los aviones, facturar los equipajes y cosas por el estilo, y vivía con su mujer y su hija en una casa de la compañía. Durante sus furtivas indagaciones, Swan entabló amistad con los Rivers. Bueno, para ser exactos, entabló amistad con la esposa de Rivers.

—¿Quiere decir que le robó la mujer? —aventuró Burden.

—¿Te imaginas a Swan haciendo algo tan emprendedor como robarle alguien o algo a otra persona? Más bien diría que la hermosa Rosalind se abalanzó sobre Swan y se agarró con fuerza. Al final, Swan regresó a Inglaterra con Rosalind y Stella y un año más tarde Rivers obtenía el divorcio.

»La nueva familia vivía en un apartamento minúsculo que Swan había alquilado en Maida Vale, pero después de contraer matrimonio, Swan, o mejor dicho Rosalind, decidió que el lugar no era lo bastante grande y se mudaron a la granja Hall Farm.

—¿De dónde obtuvo el dinero para comprar una granja?

—Bueno, en primer lugar ya no es una granja, sino una casa remodelada con pésimo gusto y un terreno arrendado. En segundo lugar, no la compró. Era parte de los bienes familiares conservados en fideicomiso. Swan se cameló a su tío y consiguió que le cediera Hall Farm por un alquiler simbólico.

—La vida es tremendamente fácil para algunos, ¿no cree? —dijo Burden, pensando en las hipotecas, las compras a plazos y los créditos concedidos a regañadientes—. Sin problemas de dinero, sin problemas de vivienda...

—Se instalaron en la granja el pasado octubre, hace ahora un año. Stella ingresó en el colegio de monjas de Sewingbury (el tío sufragaba el gasto) y su padrastro permitió que tomara clases de equitación. A Swan le gusta montar a caballo y cazar. No se dedica a ello en exceso, pero a fin de cuentas ese hombre nunca se excede en lo que hace.

»Entretanto, Rivers había estado saliendo con algunas azafatas y finalmente se casó. Swan, Rosalind, Stella y una chica *au pair* se habían instalado cómodamente en Hall Farm y de repente, en pleno éxtasis, Stella desapareció. No hay duda de que la muchacha está muerta. Asesinada.

—No me parece evidente que Swan esté implicado en el caso —opinó Burden.

—Carece de coartada —protestó obstinadamente Wexford—. Y hay algo más, algo menos tangible, algo relacionado con la personalidad de ese hombre.

—Parece demasiado apático para cometer un acto agresivo.

—Lo sé, lo sé —admitió Wexford casi con un gemido—. Y a los ojos de la justicia siempre ha llevado una vida intachable. No presenta antecedentes de violencia, inestabilidad mental o simple mal genio. Ni siquiera tenía fama de mujeriego. Salía con chicas, desde luego, pero antes de Rosalind jamás estuvo casado ni comprometido ni vivió con ninguna mujer. Sin embargo, su vida está marcada por el desastre. Hay un soneto bastante siniestro que dice: «Ellos, que tienen el poder de hacer daño y no lo hacen.» No creo que signifique que no hacen daño sino que no hacen nada. Ése es Swan. Si él no cometió el asesinato, sin duda se produjo debido a él o a través de él, o porque él es lo que es. ¿Crees que estoy exagerando?

—Sí —respondió firmemente Burden.

El veranillo de San Lucas se mantenía en su esplendor, por lo menos durante el día. Los setos eran de un delicado verde oro y las heladas aún no habían ennegrecido los crisantemos y las margaritas de otoño. El año envejecía con orgullo.

Una carretera estrecha, salpicada de hojas muertas, flanqueada por setos de crespillo y bañada por las semillas vaporosas de la clemátide silvestre, conducía a la granja, y aquí y allá, detrás de esas masas plumosas, crecían pinos escoceses cuyos troncos se tornaban de un rosa coralino cuando el sol se posaba en ellos. Un edificio bajo y alargado de piedra y pizarra se levantaba al final del camino, si bien casi todos sus muros quedaban ocultos bajo la enredadera de tonos amarillentos y escarlata.

—*Du coté de chez Swan* —citó suavemente Wexford.

Burden no entendía de referencias proustianas. Estaba observando al hombre que acababa de asomar por detrás de la casa guiando un caballo de color castaño.

Wexford bajó del coche y se acercó al hombre.

—Llegamos un poco pronto, señor Swan. Espero que no le moleste.

—En absoluto —respondió Swan—. Hemos vuelto antes de lo previsto. Pensaba dar un paseo con *Sherry,* pero eso puede esperar.

—Le presento al inspector Burden.

—¿Cómo está usted? —saludó Swan al tiempo que le tendía una mano—. Un maravilloso día de sol, ¿verdad? ¿Les importa que entremos por la puerta de atrás?

Era, en efecto, un hombre sumamente apuesto. Burden lo decidió sin alcanzar a precisar en qué residía su atractivo, pues Ivor Swan no era ni alto ni bajo, ni moreno ni rubio, y sus ojos poseían ese color indefinido que la gente llama gris por falta de un término más exacto. Las facciones no eran especialmente uniformes, la figura, aunque estilizada, no mostraba signos de desarrollo muscular atlético. Pero se movía con una gracia absolutamente masculina, exudaba una suerte de hechizo indolente y era, además, un hombre seductor, capaz de hacerse notar de inmediato.

Con voz dulce y bella, articulaba pausadamente cada palabra. Parecía tener todo el tiempo del mundo, un indolente que siempre dejaba para mañana lo que no podía hacerse hoy. Debía de tener poco más de treinta años, pensó Burden, pero bien podía pasar por un hombre de veinticinco para un observador menos perspicaz.

La pareja de inspectores siguió al señor Swan hasta una especie de vestíbulo o cocina trasera donde un par de pistolas y un completo surtido de aparejos de pesca descansaban suspendidos sobre botas de montar y de goma ordenadas en hileras.

—¿Cría conejos, señor Swan? —preguntó Wexford.

Swan negó con la cabeza.

—Cazo conejos, o eso intento, si se acercan a mis tierras.

En la cocina propiamente dicha había dos mujeres ocupadas en labores femeninas. La más joven, una muchacha morena y desgarbada, estaba preparando —si las pilas de verduras, los botes de hierbas secas, los huevos y la carne picada esparcidos sobre el mostrador tenían algún objetivo común— lo que Burden, de modo por demás chovinista, juzgó de mejunje continental. Bien lejos del picadillo y las salpicaduras, una rubia menuda planchaba camisas. Iba por la quinta o sexta y le quedaban por lo menos otras tantas. Burden observó que la mujer ponía sumo cuidado en no provocar el pliegue horizontal debajo del canesú de la camisa que la ocupaba en ese momento, error en que las mujeres impacientes o descuidadas suelen caer y que abochorna a su portador cuando llega el momento de quitarse la chaqueta.

—Buenas tardes, señora Swan. ¿Le importaría dedicarnos unos minutos?

Rosalind Swan poseía un aire juvenil. Lucía un corte de cabello desenfadado y nada en su semblante o en su porte revelaba que ocho meses atrás había perdido a su única hija. Vestía mallas blancas y zapatos rosados con hebilla, pero Burden le calculó su misma edad.

—Me gusta cuidarme personalmente de la ropa de mi marido —declaró con un tono que Burden sólo podía calificar de jovial—, y naturalmente es imposible que Gudrun dé ese toque excepcional de la esposa, ¿no creen?

Burden sabía por experiencia que si un hombre está teniendo una aventura con otra mujer y en presencia de esa mujer la esposa hace una observación más coqueta y absurda de lo normal, instintivamente el marido y la amante intercambiarán una mirada de disgusto. Aunque el inspector carecía de motivos para sospechar que Gudrun fuese algo más que una empleada —saltaba a la vista que no era ninguna belleza—, se dedicó a observarlos mientras la señora Swan hablaba. La muchacha no alzó la vista y Swan miraba fijamente a su esposa. Era una mirada agradecida, cariñosa, y al parecer el hombre no veía nada ridículo en el comentario de su mujer.

—Puedes dejar mis camisas para más tarde, Rossy.

Burden intuyó que Swan acostumbraba hacer observaciones de esa índole. Todo podía dejarse para otro día, para otro momento. El ocio o la plática primaban sobre cualquier otra actividad. El inspector se sobresaltó cuando la señora Swan propuso alegremente:

—¿Vamos al salón, mi amor?

Wexford miró a Burden con expresión impasible.

El «salón» estaba amueblado con sillas de oropel y antigüedades dudosas, y de las paredes colgaban algunos utensilios de bronce sin utilidad aparente para una familia moderna o incluso anticuada. No reflejaba un gusto concreto, carecía de individualidad, y Burden recordó que Hall Farm, y todo su contenido, había sido cedido a Swan por un tío porque no tenía otro lugar donde vivir.

Cogiendo a su marido del brazo, la señora Swan lo condujo hasta el sofá, se sentó a su lado, retiró el brazo y le tomó la mano. Swan aceptaba semejante manipulación pasivamente, y parecía admirar a su esposa.

—Estos nombres no me dicen nada, inspector —dijo después de examinar la lista—. ¿Y a ti, Rossy?

—Creo que no, mi amor.

Su amor prosiguió:

—He leído en el periódico la noticia del niño desaparecido. ¿Cree que ambos casos están relacionados?

—Es muy probable, señor Swan. Si no conoce a nadie de la lista, ¿conoce por lo menos a la señora Gemma Lawrence?

—Apenas nos relacionamos con la gente de por aquí —explicó Rosalind Swan—. Podría decirse que todavía estamos en plena luna de miel.

Burden juzgó la observación de mal gusto. La mujer rondaba los treinta y ocho años y llevaba un año casada. Aguardó a que dijese algo sobre la muchacha que nunca fue hallada, que mostrase algún sentimiento por ella, pero la señora Swan estaba mirando a su marido con un orgullo voraz. Pensó que le había llegado el turno de hablar y espetó:

—¿Puede explicarnos qué hizo la tarde del pasado jueves, señor Swan?

El hombre no era muy alto, tenía manos pequeñas y cualquiera podía fingir una cojera. Además, Wexford había dicho que carecía de coartada para aquella otra tarde de jueves...

—Decididamente me han asignado el papel de secuestrador, ¿verdad? —preguntó Swan dirigiéndose a Wexford.

—La pregunta se la ha formulado el señor Burden —repuso Wexford sin inmutarse.

—Nunca olvidaré el modo en que me atosigó cuando desapareció la pobre Stella.

—Pobre Stella —repitió lánguidamente la señora Swan.

—No te entristezcas, Rossy. Sabes que no soporto verte triste. Veamos, ¿qué hice el jueves por la tarde? Imagino que cada vez que añada un nuevo nombre a su lista de personas desaparecidas me someterá a esta clase de interrogatorio. El jueves estuve aquí. Mi mujer se hallaba en Londres y Gudrun tenía la tarde libre. Estuve aquí solo. Pasé un rato leyendo y dormí la siesta. —Un conato de mal genio deformó su cara—. Ah, y a eso de las cuatro fui en coche hasta Stowerton y maté a un par de críos que no encajaban con el entorno.

—¡Ivor, cariño!

—No tiene gracia, señor Swan.

—No, y tampoco la tiene el que me crean capaz de secuestrar a dos niños, entre ellos la hija de mi esposa.

Fue imposible sacarle algo más.

—Hace rato que quería preguntarle algo —dijo Burden de regreso a la comisaría—. ¿Siguió Stella llamándose Rivers cuando su madre volvió a casarse?

—A veces sí y a veces no, por lo que he podido deducir. Cuando desapareció, para nosotros se llamaba Stella Rivers, porque ése era su verdadero apellido. Swan explicó que deseaba cambiarle el apellido por cuestiones legales, pero no había iniciado ni un solo trámite. Típico en él.

—Hábleme de esa coartada inexistente —dijo Burden.

6

Martin, Loring y sus ayudantes seguían interrogando a criadores de conejos; Bryant, Gate y otros seis continuaban rastreando Stowerton casa por casa. En ausencia del inspector jefe, el agente Peach había traído una zapatilla deportiva de niño que había encontrado en un campo cerca de Flagford, pero no era del mismo número y, en cualquier caso, John Lawrence no calzaba zapatillas deportivas en el momento de desaparecer.

Wexford leyó los mensajes que se apilaban en su escritorio, pero la mayor parte eran negativos y no exigían una atención inmediata. Después de examinar nuevamente la nota anónima, la devolvió al sobre con un suspiro.

—En el caso de Stella Rivers nos llegaron cartas suficientes para empapelar esta oficina —dijo—, y comprobamos cada una de ellas. Recibimos ciento veintitrés llamadas telefónicas. No tienes idea de las fantasías que pasan por las mentes de esas gentes, Mike, del poder de su imaginación. La mayoría actuaba de buen corazón. El noventa por ciento creía realmente que había visto a Stella Rivers y...

—Hábleme de la coartada de Swan —lo interrumpió Burden.

—Swan acompañó a Stella a Equita a las dos y media. Qué nombre tan absurdo, ¿no te parece? Nunca sabré si se refiere a que todos los alumnos son iguales o que lo único que allí se enseña es equitación.

Semejantes digresiones tenían el don de impacientar a Burden.

—¿Qué clase de vehículo conduce el señor Swan?

—Desde luego no conduce un Jaguar rojo. Tiene una vieja furgoneta Ford. Dejó a Stella delante de la escuela, convencido de que sus amigos la devolverían a casa, y regresó a la granja. A las tres y media montó en ese caballo, *Sherry,* y cabalgó hasta Myfleet con el fin, lo creas o no, de hablar con un hombre acerca de un perro.

—¿Bromea?

—¿En un caso como éste? Hay un tipo en Myfleet llamado Blain que cría pointers. Swan fue a ver algunos cachorros con la intención de regalarle uno a Stella. Naturalmente, no compró ninguno, del mismo modo que nunca le regaló el pony que le había prometido ni le cambió el apellido. Swan siempre «está a punto de hacer algo».

—Pero ¿visitó a ese hombre?

—Blain aseguró que estuvo con él desde las cuatro menos diez hasta las cuatro y cuarto, pero Swan no regresó a Hall Farm hasta las cinco y media.

—¿Dónde dijo que estuvo durante esa hora y cuarto?

—Sencillamente montando a caballo. El animal, según él, necesitaba ejercicio. Posiblemente también necesitaba un baño, pues tanto el jinete como el caballo tuvieron que llegar a casa empapados. Pero por extraño que parezca, ésa es la clase de cosas que Swan haría: cabalgar durante horas bajo la lluvia. El paseo, dijo, lo condujo hasta el interior del bosque de Cheriton, pero no hay una sola persona que pueda corroborarlo. Por otro lado, en ese intervalo de tiempo bien pudo acercarse hasta Mill Lane y matar a Stella. Pero si lo hizo, ¿por qué lo hizo? Y ¿qué hizo con el cuerpo? Su esposa también carece de coartada. Asegura que estaba en Hall Farm, y no puede conducir. O por lo menos no tiene permiso de conducir.

Burden asimiló la información lentamente. Luego decidió que quería saber más acerca del momento en que Stella había salido de Equita. Deseaba conocer los detalles que Wexford no había tenido tiempo de contarle cuando estuvieron aparcados dentro del coche en Fontaine Road.

—Los niños —prosiguió Wexford— tenían una hora de clase y otra hora que dedicaban a ocuparse de los caballos. La señorita Williams, propietaria de Equita, vive en la casa contigua a los establos y vio a Stella esa tarde, pero asegura que no habló con ella, y no hay razón para dudar de su palabra. La señora Margaret Fenn fue quien sacó a los niños a cabalgar. Es una viuda de unos cuarenta años, que vive en lo que antes era la rectoría de Saltram House. ¿Conoces el lugar?

Burden lo conocía. La ruinosa Saltram House y sus terrenos abandonados habían constituido en otro tiempo uno de los parajes predilectos de él y de Jean, un entorno de novela, un paraíso perdido que elegían para sus paseos al anochecer en los albores de su matrimonio y al que muchas veces regresaron en compañía de sus hijos.

En todo el día apenas había pensado en Jean y en los momentos felices que había pasado a su lado. El dolor permanecía suspendido a causa de los turbulentos sucesos presentes. Pero ahora volvía a ver su cara y la oía pronunciar su nombre mientras exploraban los jardines aquel día que habían quedado desiertos y, cogidos de la mano, penetraban el caparazón frío y sombrío de la casa. Burden se estremeció.

—¿Te encuentras bien, Mike? —Wexford contempló preocupado a su compañero y prosiguió—: Stella se despidió de la señora Fenn y le dijo que como su padrastro (por cierto, siempre se refería a él como su padre) no había llegado, caminaría por Mill Lane hasta encontrarse con él. A la señora Fenn no le gustó la idea de que fuese sola, pero aún había luz y no podía acompañarla porque le quedaba otra hora y media en Equita para poner orden. Observó cómo Stella salía por la puerta de Equita y fue, por lo tanto, la penúltima persona que vio a la muchacha antes de su desaparición.

—¿La penúltima?

—No olvides al hombre que se ofreció a acompañarla. En Mill Lane sólo hay tres casas entre Equita y Stowerton, y muy alejadas entre sí. Saltram Lodge y dos viviendas más. Antes de que Hill se ofreciera a acompañarla, Stella pasó por delante de una de las casas, una que sólo era habitada los fines de semana y, dado que era jueves, estaba vacía. Ignoramos qué fue de ella después de que Hill la viera, pero en caso de haber proseguido su camino sin ser molestada, tuvo que llegar hasta la otra casa. El inquilino, un hombre soltero, estaba trabajando y no regresó hasta las seis. Nos ocupamos de comprobarlo porque esa casa y Saltram Lodge tienen teléfono y se me ocurrió que Stella pudo pedir que le dejaran telefonear a Hall Farm. La tercera y última casa, Saltram Lodge, también permaneció vacía hasta que la señora Fenn regresó a eso de las seis. Tenía alojados a unos familiares, pero éstos habían partido hacia Londres en el tren de las cuatro menos cuarto que sale de Stowerton. Un taxista confirmó que los había recogido a las tres y veinte.

—¿Y eso es todo? —preguntó Burden—. ¿No hay más pistas?

Wexford negó con la cabeza.

—El resto no son exactamente pistas. Como ocurre en estos casos, la gente comenzó a llegar con pruebas inservibles. Una mujer recogió un guante de niño frente a una de las casas, pero no era de Stella. Uno de esos serviciales conductores aseguró que a las cinco y media había recogido a un hombre mayor cerca de Saltram Lodge y lo había acompañado hasta Stowerton, pero enseguida tuve la impresión de que el sujeto era un cuentista poco fiable.

»El conductor de una camioneta vio a un muchacho salir por la puerta trasera de la casa alquilada, y probablemente fuera verdad. Por aquí todo el mundo deja abiertas las puertas traseras. Creen que en el campo no hay delincuencia. Ese mismo conductor afirmó que oyó gritos procedentes de detrás del seto que hay justo a la entrada de Equita, pero nosotros sabemos que Stella estuvo sana y salva hasta que rechazó la invitación de Hill. Dudo que algún día averigüemos qué ocurrió realmente.

Wexford parecía cansado, con el rostro más abotagado de lo normal.

—Mañana me tomaré un par de horas libres, Mike, y tú deberías hacer lo mismo. Ambos estamos exhaustos. Quédate en la cama hasta tarde.

Burden asintió distraídamente. No dijo que era absurdo quedarse en la cama cuando no se tiene a nadie con quien compartirla, pero lo pensó. Mientras se dirigía a su automóvil con paso cansino, lo asaltó el recuerdo de aquellas infrecuentes pero deliciosas mañanas de domingo en que Jean, generalmente madrugadora, accedía a permanecer en la cama con él hasta las nueve. Abrazados, oían a Pat preparar el té en la cocina y luego se incorporaban de golpe, separándose a empujones, cuando entraba en el dormitorio con la bandeja. Aquellos fueron días felices, pero entonces Burden no era consciente de ello, no supo apreciar ni atesorar cada uno de esos momentos, como debería haber hecho. Y ahora habría dado diez años de su vida por una de aquellas mañanas.

Los recuerdos lo sumieron en una torpe tristeza, y su único consuelo era saber que pronto estaría en compañía de alguien tan abatido como él, pero cuando alcanzó esa puerta siempre abierta advirtió que ese alguien gritaba jovialmente su nombre y lo trataba con la intimidad propia de dos viejos amigos.

—Estoy hablando por teléfono, Mike. Entre y póngase cómodo.

El teléfono debía de estar en el comedor, pensó Burden. Se sentó en la sala de estar, incómodo por el desorden, que siempre lo ponía nervioso. No entendía cómo una mujer tan hermosa y encantadora podía vivir entre tanta confusión, y todavía lo entendió menos cuando la vio entrar, porque parecía otra mujer, una mujer elegante con una amplia sonrisa en el rostro.

—No era necesario que colgara por mí —dijo él, procurando no mirar con demasiada insistencia el corto vestido azul que la cubría, las largas cadenas de plata, la peineta púrpura sujetando el pelo recogido.

—Era Matthew —explicó Gemma Lawrence—. Le instalaron un teléfono en la habitación y me llamó desde la cama. Está muy preocupado por John, pero traté de tranquilizarlo. Le he dicho que el lunes se solucionaría todo. Tiene tantas preocupaciones, el pobrecillo. Está enfermo, no tiene trabajo, su mujer espera un hijo y ahora... esto.

—¿No tiene trabajo? ¿A qué se dedica?

Gemma tomó asiento frente a él y cruzó el mejor par de piernas que Burden había visto en su vida. El inspector clavó la mirada en el suelo, a unos centímetros de los pies de ella.

—Es actor de televisión, por lo menos cuando tiene trabajo. Sueña con ser famoso, pero el problema es su cara. Oh, no me refiero a que no sea bien parecido, pero nació en la época equivocada. Es igualito que Valentino y hoy día eso no se lleva. John será como él. De hecho, ya se le parece mucho.

Matthew Lawrence... el nombre le sonaba.

—Creo que he visto su foto en los periódicos —dijo Burden.

Gemma asintió vehementemente.

—Acompañando a Leonie West, supongo. Esa mujer siempre estaba rodeada de fotógrafos.

—La conozco. Es bailarina clásica. Mi hija adora el ballet. Ahora que lo dice, creo que es ahí donde he visto a su ex marido, en las fotos de Leonie West.

—Matthew y Leonie fueron amantes durante muchos años. Después me conoció a mí. Yo era estudiante de arte dramático y tenía un pequeño papel en una serie de televisión en la que trabajaba Matthew. Cuando nos casamos dijo que no volvería a ver a Leonie, pero en realidad sólo se casó conmigo porque quería un hijo. Leonie no podía tenerlos, por eso no se casó con ella.

Hasta ese momento Gemma había empleado un tono frío y práctico, pero de repente suspiró y calló. Burden esperó, olvidándose del cansancio, más interesado que nunca por la vida de otra persona, una vida que, no obstante, le perturbaba extrañamente.

Al cabo, la mujer continuó:

—Intenté mantener a flote nuestro matrimonio y cuando John nació pensé que aún teníamos una oportunidad de ser felices. Entonces averigüé que Matthew seguía viendo a Leonie. Finalmente me propuso el divorcio y cedí. El juez aceleró el proceso porque había un niño en camino.

—Pero acaba de decir que Leonie West no podía...

—Oh, no era de Leonie. Matthew no se casó con ella. Leonie era mucho mayor que él. Ahora debe de rondar los cuarenta y pico. Se casó con una joven de diecinueve años que conoció en una fiesta.

—Cielo santo —dijo Burden.

—La muchacha tuvo el bebé, pero murió dos días después. Por eso ahora cruzo los dedos, para que esta vez todo salga bien.

Burden no pudo seguir ocultando su parecer.

—¿Es posible que no les guarde rencor? Lo lógico sería que odiara a su marido, a su esposa y a esa Leonie West.

Gemma Lawrence se encogió de hombros.

—Pobre Leonie. Resulta demasiado patética para odiarla. Además, siempre me cayó bien. Tampoco odio a Matthew ni a su mujer. No pudieron evitarlo. Hicieron lo que debían hacer. No esperará que arruinaran sus vidas por mí, ¿verdad?

—Me temo que para algunas cosas soy algo anticuado —admitió Burden—. Creo en la autodisciplina. Ellos arruinaron su vida.

—¡Oh, no! Tengo a John, y eso me hace muy feliz.

—Señora Lawrence...

—¡Gemma!

—Gemma —repitió torpemente Burden—, he de advertirle que no debe abrigar demasiadas esperanzas con respecto al lunes. De hecho, no debe esperar nada en absoluto. Mi jefe, el inspector Wexford, no cree en la veracidad de esa carta. Está convencido de que es una trampa.

La mujer palideció levemente y dio una palmada.

—Nadie escribiría una cosa así si no fuera en serio —repuso inocentemente—. No puede existir alguien tan cruel.

—La gente es cruel y usted lo sabe.

—Sé que John estará allí el lunes. Por favor, no lo estropee. Sólo la esperanza me ayuda a seguir adelante.

Indeciso, el inspector sacudió la cabeza. Ella lo miraba con ojos suplicantes, implorando una palabra de ánimo. De repente, para su horrible sorpresa, la mujer cayó de rodillas frente a él y le cogió las manos.

—Se lo ruego, Mike, dígame que todo saldrá bien. Diga al menos que existe una posibilidad. La hay, ¿no es cierto? Por favor, Mike.

Gemma clavó las uñas en sus muñecas.

—Siempre existe una posibilidad...

—Necesito algo más, algo más. Sonría, demuéstreme que existe una posibilidad. —Burden sonrió, casi con desesperación. Gemma se levantó de un salto—. No se mueva de ahí. Voy a preparar café.

Caía la noche. Muy pronto la oscuridad lo envolvería todo. Burden sabía que era el momento de partir, de seguir a Gemma y decirle enérgicamente: «Bien, si ya no me necesita, me voy.». Permanecer por más tiempo en esa casa era un error, una completa extralimitación de sus funciones. Si Gemma necesitaba compañía, debía llamar a la señora Crantock o a alguno de sus extraños amigos.

No podía irse. Era imposible. Menudo hipócrita estaba hecho con su perorata sobre la autodisciplina. Pensó en Jean. Si hubiese estado esperándolo en su casa no habría sentido el deseo de quedarse, la necesidad de dominarse.

Gemma regresó con el café, que juntos saborearon en la penumbra. Pronto Burden apenas pudo verla, y sin embargo notaba su presencia con más fuerza. Por un lado deseaba que encendiera la luz, pero al mismo tiempo rogaba que no lo hiciera, que no destruyera la atmósfera cálida y crepuscular perfumada con su aroma, esa tensión y, sin embargo, esa paz.

Le sirvió más café y sus manos se rozaron.

—Hábleme de su mujer —dijo ella.

Nunca hablaba de su mujer. No era la clase de hombre que abría su corazón y se sinceraba. Grace había intentado hacerle hablar. Ese idiota de Camb también lo había intentado y, de un modo más sutil y discreto, el propio Wexford. Y no obstante le habría gustado hablar si hubiese tropezado con el confidente adecuado. Esa hermosa mujer no lo era. ¿Cómo podía ella, con ese extraño pasado, esa peculiar permisividad, comprender su concepto de la monogamia, su consagración a una sola mujer? ¿Cómo podía hablarle de la sencilla y tierna Jean, de su callada existencia y su abominable muerte?

—Ella pertenece al pasado —respondió Burden con aspereza—. Prefiero olvidarlo. —Comprendió demasiado tarde la impresión que habían causado sus palabras.

—Aunque no haya sido muy feliz —repuso ella—, no es tanto la persona lo que se echa de menos, sino el amor.

Burden sabía que era cierto. Incluso para él era

cierto. Pero amor no era exactamente la palabra. No había amor en esos sueños suyos, en los que Jean nunca intervenía. Como si tratara de rechazar sus propios pensamientos, dijo bruscamente:

—Dicen que es fácil encontrar un sustituto, pero yo no puedo. No puedo.

—Sustituto no es la palabra. Acaso otra persona para otra forma de amar.

—No estoy seguro. Debo irme. No encienda la luz. —La luz revelaría demasiado de él, su dolor contenido y, peor aún, el deseo que sentía por ella y que ya no podía ocultar—. ¡No encienda la luz!

—No pensaba hacerlo —dijo ella suavemente—. Acérquese.

Fue un beso leve en la mejilla, como el de una mujer a un hombre que conoce desde hace años, el marido de una amiga, quizá. Rozando la mejilla de ella, Burden quiso besarla del mismo modo, con la confianza de un camarada. Pero sintió el latido de su corazón, y el de ella detrás, como si poseyera dos corazones. Sus bocas se encontraron y el autodominio de Burden se hizo pedazos.

La besó con todo su ser, estrechándola en sus brazos y aprisionándola contra la pared, hundiendo la lengua hasta lo más profundo de su boca.

Cuando la soltó y se apartó tembloroso, Gemma permaneció inmóvil, con la cabeza ladeada, sin decir palabra. Burden abrió la puerta y huyó de ella sin mirar atrás.

7

El domingo por la mañana era su momento de reposo. Había pasado una noche horrible, colmada de sueños tan repugnantes que si hubiese leído acerca de ellos en algún tratado de psicología —de la clase con que Grace no paraba de marearlo— habría asegurado que eran producto de una mente enferma y pervertida. Sólo de pensar en ellos se estremecía de vergüenza.

Si uno yace despierto en la cama cuando ya ha amanecido, no puede evitar pensar. Pero ¿en qué? ¿En Jean, que se había ido para siempre? ¿En sueños que le hacían sospechar que dentro de él se ocultaba un ser tan perturbado como todos esos pervertidos locales? ¿En Gemma Lawrence? ¡Menudo imbécil había sido al besarla, al permanecer sentado con ella en la penumbra, al implicarse!

Se levantó rápidamente. Apenas eran las siete y media cuando entró en la cocina. El resto de la casa dormía. Preparó té y subió una taza a los demás. Se trataba de otro día hermoso y despejado.

Grace se sentó en la cama y aceptó la taza. Llevaba puesto un camisón como el de Jean. Tenía la cara hinchada, y estaba amodorrada, despistada, exactamente como lo habría estado Jean. La odiaba.

—Debo irme —anunció Burden—. Tengo trabajo.

—No he oído el teléfono —dijo Grace.

—Estabas dormida.

Los niños ni siquiera se agitaron cuando entró a dejar el té sobre la mesita de noche. Solían dormir profundamente y era lo más natural. Burden lo sabía, y aun así tuvo la impresión de que él ya no les importaba. Su madre estaba muerta, pero ahora tenían una madre suplente, un facsímil. Les daba igual, pensó Burden, que su padre estuviera o no.

Subió al coche y arrancó sin rumbo fijo. Quizá fuese al bosque de Cheriton, para sentarse, pensar y torturarse. Pero en lugar de tomar la carretera de Pomfret, se sorprendió conduciendo hacia Stowerton. Hubo de recurrir a todo el autodominio que le quedaba para desviarse de la dirección de Fontaine Road y doblar por Mill Lane.

Ésa era la calle en que había sido visto el Jaguar rojo. Detrás de aquellos árboles, el joven con abrigo de tres cuartos y manos menudas había deambulado recogiendo hojas. ¿Existía alguna relación entre el coche y el muchacho? ¿Y era posible, en este mundo malvado y cínico, que el recogedor de hojas criara conejos —tal vez recogía hojas para sus animalitos— y necesitara un niño sólo por el placer de su compañía y la visión de su rostro feliz cuando la mano pequeña y entusiasta acariciara el pelo suave y abundante?

En mañanas como ésa hasta una idea tan improbable y fantasiosa resultaba verosímil. Delante, a lo lejos, repicaban las campanas de San Judas de Forby llamando a la primera comunión. Ahora ya sabía adónde se dirigía. Giró por una curva de la carretera y Saltram House apareció súbita y esplendorosamente ante sus ojos.

¿Quién podía imaginar, contemplándola desde esa distancia coronando orgullosamente la colina, que sus ventanas no estaban vidriadas, que sus habitaciones no estaban habitadas, que el gran edificio de piedra no era más que un caparazón, el esqueleto, por así decirlo, de un palacio? Construida a finales del siglo XVIII, la casa palatina lucía bajo el sol de la mañana un tono gris dorado, y envuelta en sus espléndidas proporciones parecía sonreír y al tiempo fruncir el entrecejo ante el valle que se extendía a sus pies.

Todos en Kingsmarkham conocían la historia de su destrucción, ocurrida cincuenta años atrás. Fue durante la Primera Guerra Mundial. El propietario, cuyo nombre ya ha sido olvidado, celebraba una fiesta en su casa y los invitados habían subido a la azotea para admirar el paso de un dirigible. Uno de los comensales lanzó la colilla de su cigarro por la balaustrada y prendió fuego a los arbustos de abajo. Nada quedaba ya tras las elegantes y vacías ventanas salvo árboles y arbustos que habían brotado de los escombros calcinados para impulsar sus ramas por donde antaño damas ataviadas según la moda de París paseaban admirando cuadros y agitando sus abanicos.

Puso nuevamente en marcha el coche y se dirigió lentamente hacia la verja de hierro donde comenzaba el paseo de Saltram House. A la izquierda de la verja se alzaba una casita blanca con tejado de paja. En el jardín, una mujer recogía champiñones. La señora Fenn, supuso Burden. No vivía allí cuando él y Jean acudían a merendar al lugar. La casa había estado deshabitada durante años.

Obviamente, los pelotones de búsqueda habían

rastreado palmo a palmo esos mismos terrenos en febrero, así como el pasado jueves por la noche y el viernes. Pero ¿conocían el lugar tan bien como él? ¿Conocían sus secretos rincones tan bien como él?

Burden abrió la verja y los goznes chirriaron.

Wexford y su amigo el doctor Crocker, médico forense, acostumbraban jugar a golf los domingos por la mañana. Amigos desde la infancia, aunque Wexford era siete años mayor, el doctor era un hombre delgado y ágil que parecía bastante joven visto desde lejos, en tanto que el inspector, un hombre enorme, estaba envejecido y tenía la tensión arterial peligrosamente alta.

Esa hipertensión era la razón por la que Crocker le había recetado las sesiones de golf dominicales y un régimen riguroso. Wexford burlaba el régimen una media de dos veces por semana, pero no oponía excesiva resistencia al golf, aunque su hándicap rozara un vergonzoso treinta y seis. Lo libraba de ir a misa con su esposa.

—¿No te apetece una gotita de algo? —preguntó sin demasiadas esperanzas el inspector en el bar del club.

—¿A estas horas? —repuso el disciplinario Crocker.

—No es la hora lo que cuenta sino el efecto.

—Si mi esfimógrafo no fuera el mejor del mercado —dijo el médico—, habría estallado la última vez que te tomé la tensión. En serio, habría explotado de pura desesperación. No osarías poner un termómetro bajo el grifo del agua caliente, ¿verdad? Lo que necesitas no es una copa sino unos cuantos golpes enérgicos bajo la supervisión de un profesional.

—No, por favor —suplicó Wexford—. Todo menos eso.

Llegaron al primer *tee*. Con expresión inescrutable, Crocker observó a su amigo revolver torpemente en la bolsa y acto seguido, sin mediar palabra, le entregó un hierro del cinco.

Wexford golpeó con fuerza. La pelota desapareció, pero en dirección muy diferente de la del primer hoyo.

—¡Maldita sea, no es justo! —protestó—. Llevas en este pasatiempo absurdo toda tu vida y yo soy un simple novato. Me estás creando un complejo de inferioridad de mil demonios. No obstante, si pudiera meter a alguien en esto, a Mike Burden, por ejemplo...

—Seguro que le haría mucho bien.

—Me preocupa Mike —dijo Wexford, agradeciendo el respiro antes de tener que presenciar otro de los golpes perfectos del doctor—. A veces me pregunto si no va camino de un colapso nervioso.

—Muchos hombres pierden a sus mujeres y lo superan. ¿Sabes qué pienso? Que Mike acabará casándose con su cuñada. Tiene todas las cartas a su favor. Se parece a Jean, actúa como Jean... Si Mike se casara con ella casi seguiría monógamo. Bueno, se acabó la charla. Hemos venido a jugar, no lo olvides.

—No debo alejarme del club. Si surge alguna novedad sobre el caso del muchacho desaparecido, intentarán localizarme.

No era una excusa sino una inquietud genuina, pero el inspector jefe había gritado «que viene el lobo» demasiadas veces en el campo de golf. El doctor sonrió maliciosamente.

—Pues que vengan a buscarte. Algunos socios de este club saben correr. Ahora observa con atención.

—Crocker cogió su hierro del cinco y golpeó con hermosa precisión—. En el *green,* creo —dijo complacido.

Wexford recogió su bolsa, suspiró y caminó valientemente por la calle. Con la mirada clavada en la espalda del doctor, murmuró con voz queda:

—No matarás, pero habrás de luchar oficiosamente por sobrevivir.

El lado de la casa que miraba a la carretera, y frente al cual Burden aparcaba ahora el coche, constituía la fachada posterior o, más exactamente, la parte frontal del jardín. A esa distancia saltaba a la vista que Saltram House era un esqueleto. Burden se encaramó a una de las ventanas de piedra y a través de ella vislumbró el fondo sereno, turbio y silencioso. Saúcos y robles jóvenes —¿qué edad tiene un roble maduro?— emergían entre la tierra y los cascotes. Las cicatrices del incendio se habían desvanecido, las lluvias de cincuenta inviernos había arrastrado el negror. Las hojas amarilleaban con rapidez, cubriendo la piedra rota y los escombros apilados. La casa estaba igual que cuando él y Jean la habían visitado por primera vez, con la única diferencia que ahora los árboles eran más altos y la naturaleza se mostraba más arrogante en su conquista. Burden, sin embargo, sintió que esa destrucción era personal, un símbolo propio.

Nunca leía poesía. De hecho, apenas leía nada. Pero como ocurre a la mayoría de la gente que no lee, tenía buena memoria y a veces recordaba las frases que Wexford le citaba. Sorprendido, musitó:

—«La destrucción me ha enseñado así a rumiar que la hora llegará y a mi amada arrastrará.»

Ignoraba quién lo había escrito, pero quienquiera

que fuera sabía lo que decía. Se alejó del muro posterior de la casa. No se podía entrar por allí. «Entraste por delante, gateando por lo que había sido un jardín italiano.»

A derecha e izquierda, la tierra desatendida agonizaba. ¿A quién pertenecía? ¿Por qué nadie la labraba? Ignoraba la respuesta, sólo sabía que se hallaba en un desierto tranquilo y hermoso donde la hierba crecía alta y salvaje y los árboles que el hombre, no la naturaleza, había plantado —cedros y encinas, y el esbelto *gingko biloba,* el culantrillo chino— emergían del suelo extraño en la forma de troncos orgullosos y ramas aún más orgullosas. Era un yermo dolorosamente triste, pues había sido diseñado para recibir cuidados, pero aquellos que amaban cuidarlo habían desaparecido con el tiempo. Abriéndose paso entre las ramas y zarzales, Burden llegó hasta la fachada principal de Saltram House, sin duda mucho más hermosa.

Un frontón gigantesco con un friso de figuras clásicas coronaba la fachada y más abajo, sobre la puerta, había un reloj de sol azul cielo, con números dorados que el viento y la lluvia habían marcado pero no destruido. Desde donde estaba vislumbraba, a través de la osamenta de la casa, fragmentos de cielo tan azules como el reloj de sol.

Era imposible, y lo había sido durante años, llegar al jardín italiano o subir hasta la casa sin trepar. Burden escaló una pared pedregosa de metro y medio de altura, por cuyas grietas zarzas y brionas extendían sus zarcillos.

Nunca había visto los surtidores en funcionamiento, pero sabía que en ese lugar, en otros tiempos, había surtidores. Doce años atrás, la primera vez que él y Jean se aventuraron hasta tan adentro, dos figuras de bronce con sendas vasijas en lo alto de la cabeza presidían los extremos de la avenida. Pero desde entonces los vándalos habían arrancado las estatuas de sus plintos, codiciando acaso el plomo de las tuberías de la fuente.

Una figura representaba un niño y la otra una muchacha envuelta en delicados ropajes. El niño había desaparecido, pero la muchacha yacía entre los hierbajos, y una enredadera envolvía con sus tallos el brazo y la combadura de su cuerpo. Burden se inclinó y levantó la estatua. Estaba rota y medio comida por el verdín. El suelo de debajo aparecía desnudo, una superficie de tierra pelada con la forma extraña e inquietante de un cuerpecito humano.

Devolvió a su lugar la figura de metal que en otra época había hecho de surtidor y subió por los peldaños rotos que conducían a la puerta principal. En cuanto alcanzó el umbral, el lugar donde los invitados tendían sus capas a los criados, comprobó que era imposible ocultar un cuerpo allí, aunque se tratara del cuerpecillo de un niño de cinco años.

Todo en Saltram House, armarios, puertas, escaleras y hasta gran parte de los tabiques, había desaparecido. Apenas quedaba algo de la mano del hombre. Los altos y siniestros muros de la casa se cernían sobre Burden, pero incluso éstos, en otros tiempos pintados y adornados con frescos, aparecían cubiertos de hiedra y protegían del viento un joven soto de rica vegetación. Saúcos y robles, pimpollos de abedul y haya se abrían paso por la fértil tierra calcinada y ahora competían en altura con los muros. Burden estaba mirando un bosquecillo suavemente mecido por la brisa que entraba a través de las ventanas. Veía las raíces de los árboles y veía también que nada yacía en torno a ellas.

Echó otra rápida mirada y se volvió. Bajó por los escalones y regresó al jardín italiano, recordando con una súbita punzada la vez que habían merendado en ese mismo lugar y Pat, que apenas tenía seis años, le preguntó por qué no podía poner en marcha los surtidores. «Porque están rotos, porque no tienen agua», explicó él. Nunca había vuelto a pensar en ello, nunca se lo había preguntado hasta ahora.

Porque esos surtidores tuvieron que funcionar en otros tiempos. ¿De dónde procedía el agua? Obviamente no llegaba directamente de las cañerías, aunque el suministro de agua hubiese alcanzado alguna vez Saltram House. Para esa clase de cosas, como fuentes y surtidores ornamentales, siempre se empleaban depósitos. Y aunque la casa hubiese gozado de agua corriente en la época en que se incendió, evidentemente no era así cuando se instalaron los surtidores, en mil setecientos y pico.

Por lo tanto, tenían que almacenar el agua en algún lugar. De repente, Burden tuvo miedo. Era una idea estúpida, se dijo. Fantástica. Los rastreadores habían examinado dos veces el terreno. ¿Se le había ocurrido a alguno de ellos la misma idea? «Probablemente no, si no conocían el lugar tan bien como yo —se dijo—. Si no sabían que la estatua era un surtidor.»

Sabía que si se marchaba en ese momento no descansaría, no tendría un segundo de paz. Descendió por los escalones y se sumergió hasta las rodillas en los hierbajos y zarzales. Los depósitos, si existían, no estarían junto a la casa sino lo más cerca posible de los plintos de la fuente.

Pero los plintos no resultaban fáciles de encontrar. Burden cortó un brote de saúco con su navaja, podó las ramitas y procedió a quitar la vegetación muerta y agonizante. En algunas zonas la maraña se mostraba impenetrable. Estaba a punto de desistir cuando el palo tropezó con algo acerado y emitió un leve sonido metálico. Empleando ahora sus manos desnudas, Burden arrancó primero la hiedra y acto seguido un brezo obstinado hasta descubrir un disco de bronce con un orificio en el centro. Cerró los ojos y recordó que la estatua del niño había estado allí, en posición análoga a la de la muchacha.

Y ahora, ¿dónde estaba el depósito? Seguramente no se encontraba entre el plinto y la avenida, sino al otro lado. Se ayudó de nuevo con la rama. No había llovido en dos o tres semanas y el suelo bajo la jungla de hierbajos estaba duro como una piedra. Sólo podía guiarse por el tacto de sus pies. Así pues, procedió a arrastrarlos lentamente por el vago pasadizo que iba abriendo con ayuda del bastón.

Tenía la mirada fija en el suelo, pero aun así se tambaleó cuando su pulgar izquierdo tropezó con lo que parecía un escollo o un peldaño de piedra. Tanteando con el palo, encontró el escollo y trazó un rectángulo. Se arrodilló y retiró la vegetación con las manos hasta dejar al descubierto una losa de pizarra del tamaño y la forma de una lápida. El depósito del surtidor, tal y como había sospechado. ¿Podría levantar la losa? Lo intentó y ésta salió fácilmente sin darle tiempo a prepararse para la sorpresa que podía encontrar en su interior.

El depósito estaba vacío. Seco, pensó, desde hacía medio siglo. Ni siquiera una araña o una cochinilla había logrado penetrar la fortaleza de piedra.

Bien, debía de haber otro depósito, el que alimentaba el surtidor del extremo opuesto. No tendría problemas para dar con él. Se encaminó al otro lado y despejó la segunda losa. ¿Era su imaginación o la vegetación parecía aquí más fresca? No había zarzas, sólo las hierbas jugosas y blandas que mueren en invierno. La losa era exactamente igual que su compañera, de un negro acerado y reverdecida en algunas zonas por el liquen.

Burden tenía los dedos ensangrentados y llenos de arañazos. Se limpió con el pañuelo, levantó la losa y aspirando una desapacible bocanada de aire, miró en su interior y vio el cuerpo.

8

Harry Wild vació la pipa en el cenicero que descansaba sobre el mostrador de Camb.

—¿Piensas contármelo o no?

—No sé nada, Harry, de veras. Llamaron a Wexford al club de golf y hace unos instantes que llegó. Tendrás que esperar a que disponga de un minuto libre. Nadie sabe qué está pasando. No recuerdo un domingo como éste desde que ingresé en el cuerpo.

Sonó el teléfono. Camb descolgó el auricular.

—¿Dice que ha visto a John Lawrence en Brighton, señora? Espere un momento, le pasaré con los agentes encargados de recoger esa clase de información. —Suspiró—. Con ésta ya son treinta y dos las personas que han llamado hoy diciendo que han visto a ese niño.

—Está muerto. Mi informante, un hombre de fiar, asegura que está muerto. Burden encontró su cuerpo esta mañana y por eso estoy trabajando en domingo. —Wild esperó a ver la reacción de Camb y agregó—: Sólo deseo la confirmación de Wexford. Luego iré a casa de la madre para hablar con ella.

—¡Qué horror! —exclamó Camb—. No te cambiaría el trabajo ni por todo el té de China.

Insensible al comentario, Wild encendió de nuevo su pipa.

—Hablando de té, ¿no tendrás una tacita para mí?

Camb no respondió. El teléfono estaba sonando otra vez. Tras hablar con un hombre que había encontrado un jersey azul que correspondía a la descripción del de John Lawrence, levantó la vista en el momento en que las puertas del ascensor se abrían.

—Ahí van el señor Wexford y el señor Burden camino del depósito de cadáveres para averiguar qué ha descubierto el doctor Crocker.

—Ah, señor Burden —saludó Wild—, justo el hombre que deseaba ver. ¿Es cierto que han encontrado el cuerpo del niño desaparecido?

Burden lo miró con frialdad y giró sobre sus talones.

—¿Para qué demonios quieres saberlo? —espetó Wexford—. Tu periodicucho no sale hasta el jueves.

—Disculpe, señor —intervino Camb—, pero el señor Wild quiere enviar la noticia a los periódicos de Londres.

—Ah, comprendo, un trabajito extra. Bien, no seré yo quien impida a un periodista ganarse honradamente unos peniques en domingo. Esta mañana el señor Burden encontró un cadáver en el depósito de un surtidor de Saltram House. El cuerpo... —Wexford guardó silencio por un instante para luego proseguir con celeridad— pertenece a una niña de unos doce años, hasta ahora no identificada.

—Se trata de Stella Rivers, ¿verdad? —preguntó ansiosamente Wild—. Venga inspector, dé una oportunidad a un honrado trabajador. Ésta podría ser la noticia más importante de mi carrera. Niña hallada muerta en unas ruinas. No hay pistas del niño desaparecido. ¿Es Kingsmarkham otro caso Cannock? Parece que lo estoy viendo, puedo...

Wexford tenía un gran dominio de sí mismo. También tenía dos hijas y un nieto. Le gustaban los niños con locura y el dominio de sí mismo estalló en pedazos.

—¡Fuera de aquí, gacetillero de pacotilla! —bramó—. ¡Reportero de tres al cuarto! ¡Fuera de aquí!

Wild desapareció.

Cuando aparece el cadáver de un niño, una especie de tristeza y pesimismo se apodera de los policías y la comisaría toda. Luego, esos mismos policías se lanzan con ardor a la caza del asesino, pero antes, cuando se descubre el crimen, están horrorizados y deprimidos. Pues se trata del peor crimen concebible, el más cruel y el menos perdonable.

Satisfecho de la reprimenda infligida a Harry Wild, Wexford se encaminó al depósito de cadáveres. Burden y el doctor Crocker flanqueaban el cuerpo cubierto con una sábana.

—He enviado a Loring a buscar al señor Swan, señor —informó Burden—. Es preferible que lo haga él y no la madre.

Wexford asintió.

—¿Cómo murió?

—El cuerpo estuvo en ese depósito muchos meses —dijo Crocker—. Los expertos tendrán que examinarlo. En mi opinión, la muchacha murió de asfixia. Una presión violenta en la tráquea. No presenta lesiones ni heridas y no fue estrangulada. Tampoco hay signos de agresión sexual.

—Sabíamos que estaba muerta —musitó Wexford—. No debería resultar tan horrible. No debería sorprendernos tanto. Sólo confío en que la muchacha no sufriera. —Desvió la mirada del cuerpo—. Quiero pensar que fue algo rápido.

—Ésa es la clase de comentario que uno esperaría oír de los padres de la víctima —dijo Crocker—, no de un tipo duro como tú, Reg.

—Oh, cierra el pico. Quizá lo he dicho porque sé que los padres no lo dirán. ¿Y tú, curandero de poca monta? Se diría que te trae totalmente sin cuidado.

—Tranquilízate...

—Ahí viene el señor Swan —dijo Burden.

El hombre llegó acompañado de Loring. El doctor Crocker levantó la sábana. Swan miró el cadáver y palideció.

—Es Stella —dijo—. El cabello, la ropa... ¡Dios mío, qué horror!

—¿Está seguro?

—Desde luego. Necesito sentarme. Es la primera vez que veo un cuerpo sin vida.

Wexford lo condujo a una de las salas de interrogatorios de la planta baja.

Swan pidió un vaso de agua y no habló hasta que hubo bebido.

—¡Qué horror! Me alegro de que Ros no haya venido. Creí que iba a desmayarme. —Se enjugó la cara con un pañuelo y su mirada se perdió en el vacío, como si todavía estuviera contemplando el cuerpo de la muchacha. Wexford pensó que su conmoción no era provocada por un dolor genuino sino por los estragos que ocho meses bajo tierra habían infligido a Stella Rivers, impresión que mantuvo casi intacta cuando Swan añadió—: La quería, ¿sabe?, no tanto como se quiere a una hija propia, pero estábamos muy unidos.

—Ya hemos hablado de eso, señor Swan. ¿Conoce Saltram House?

—¿Fue allí donde la encontraron? Ni siquiera sé dónde está ese lugar.

—Sin embargo, tenía que pasar por delante cada vez que acompañaba a Stella a Equita.

—¿Se refiere a esas ruinas que se ven desde la carretera?

Wexford asintió mientras observaba al hombre con detenimiento. Swan miraba a todas partes menos al inspector jefe. Entonces, con el tono que emplea un hombre cuyo automóvil se avería constantemente, dijo:

—No entiendo por qué han de ocurrirme estas cosas.

—¿Qué quiere decir con «estas cosas»?

—¿Qué? Oh, nada. ¿Puedo irme ya?

—Nadie lo retiene, señor Swan —dijo Wexford.

Media hora después Wexford y Burden estaban sentados sobre una pared derruida mientras media docena de hombres trabajaba en el depósito tomando fotografías, midiendo y analizando. El sol aún apretaba y su luz confería al lugar un aire de antigüedad clásica. Columnas partidas asomaban entre la larga hierba y los rastreos habían desenterrado fragmentos de cerámica.

En lugar de la búsqueda de pistas de un caso de asesinato, cualquiera hubiera dicho que estaban supervisando una excavación arqueológica. No había ni rastro de la estatua masculina, pero la figura de la niña yacía donde Burden la había dejado, inerte, con la cara enterrada en la hiedra, el cabello labrado brillando al sol, tan dorado como el pelo de Stella Rivers cuando vivía.

—Sé que me tienes por un viejo fantasioso —dijo pensativamente Wexford—, pero no puedo evitar ver la analogía. Es como un presagio. —Señaló la estatua y miró interrogativamente a Burden—. La muchacha está muerta. El niño ha desaparecido, alguien se lo ha llevado. —Se encogió de hombros—. Vivo. De bronce. Y quizá el ladrón se ha preocupado de colocar al niño en un entorno agradable. Me refiero a la estatua, claro.

—Claro, ¿y qué más? Probablemente utilizó lo que era utilizable y desechó el resto.

—Dios... —Wexford comprendió que Burden no había captado su idea y se rindió. Sabía por experiencia que con Mike era inútil fantasear—. La persona que metió a la muchacha ahí dentro —dijo con mayor pragmatismo—, conocía el lugar mejor que tú. Ni siquiera sabías que esos depósitos existían.

—Sólo he visitado este lugar en verano. La vegetación que cubre las losas es menos densa en invierno.

—Me pregunto... —Wexford llamó a Peach—. Cuando los pelotones de búsqueda exploraron el lugar en febrero, ¿vieron los depósitos?

—Examinamos el terreno al día siguiente de que Stella desapareciese, señor. Era viernes. La víspera había diluviado y todavía llovía cuando llegamos. El lugar era un lodazal. Habría sido prácticamente imposible intuir siquiera la existencia de estos depósitos.

—Creo que debemos tener unas palabras con la señora Fenn.

La señora Fenn, una mujer menuda y pálida, estaba consternada por el descubrimiento realizado a menos de cuatrocientos metros de su casa, y se mostró deseosa de ayudar.

—Stella era la pupila más prometedora de mi

clase —dijo con voz queda y algo temblorosa por la impresión—. Me gustaba alardear de ella delante de mis amigos. Stella Rivers, solía decir, o Stella Swan, nunca sabía muy bien cómo llamarla, será algún día una saltadora de primer orden. Pero todo ha terminado. Dios mío, qué tragedia. Nunca podré perdonarme el haberla dejado marchar sola aquel día. Debí telefonear al señor Swan. Sabía que el hombre era un poco despistado. No era la primera vez que se olvidaba de recoger a su hija.

—No debe culparse de nada, señora Fenn —dijo Wexford—. Y ahora dígame, ¿sabía que esos surtidores tenían depósitos? Si lo sabía, es probable que también lo supieran otros vecinos.

—Claro que lo sabía —respondió sorprendida la señora Fenn. Luego, relajando la frente, dijo—: Oh, ¿lo dice porque en verano se cubren de hierbajos? Cuando el tiempo es seco, me gusta cabalgar por los alrededores y dar paseos con mis invitados. Suelo mostrarles los surtidores porque esas estatuas me parecen preciosas. —Con un ligero temblor en la voz, añadió—: Ya nunca podré volver a ese lugar. —Sacudió la cabeza—. Después de una fuerte lluvia, las losas quedan ocultas bajo la tierra que el agua ha arrastrado de la ladera.

Los hombres estaban introduciendo la losa en la furgoneta para trasladarla al laboratorio, donde sería sometida a un análisis exhaustivo.

—Si el asesino dejó huellas —dijo Wexford—, el lodo y el agua las habrán borrado. El tiempo estaba de su lado, ¿no crees? ¿Qué sucede? ¿Se te ha ocurrido algo?

—Me temo que no. —Burden observó la tranquila vereda y los prados circundantes. No se volvió a contemplar la casa, pero sintió sobre las espaldas su

mirada ciega y vacua—. Pensaba en la señora Lawrence. Quizá debería ir y...

—Martin fue a verla —lo interrumpió Wexford
con aspereza—. Lo envié a Fontaine Road en cuanto
me enteré de tu descubrimiento. No queríamos que
averiguara que habíamos encontrado un cuerpo sin
estar seguros de su identidad.

—Eso pensé yo.

—Así pues, no necesitas preocuparte por ella esta
noche. No creo que desee verse todo el día rodeada
de policías. Necesita un respiro. Además, dijo que
hoy llegaba una amiga suya de Londres.

No necesitaba preocuparse por ella esa noche...
Burden se preguntó quién era esa amiga. ¿Una actriz?
¿Una artista? Quizá alguien que escucharía ávida-
mente mientras Gemma le hablaba del modo en que
un policía sediento de sexo la había besado. No, en
realidad no necesitaba ir esa noche ni ninguna otra
noche. El caso de Stella Rivers le absorbería todo el
tiempo y era mejor así. Mucho mejor, se dijo con firmeza.

Periodistas de todo el país llegaron en tropel el domingo por la tarde y Wexford se vio obligado a cele-
brar una rueda de prensa. Detestaba a los periodistas,
pero tenían su utilidad. En general, creía que la pu-
blicidad que concedían al dolor y el horror era más
provechosa que contraproducente. Las crónicas sobre el suceso serían inexactas, la mayoría de los nombres estarían mal escritos —en una ocasión, un diario
nacional se había referido a él repetidas veces como
jefe de policía Waterford—, pero la población sería
alertada y tal vez apareciese alguien con alguna pista
útil. Evidentemente, recibirían cientos de llamadas

telefónicas y cartas anónimas como la que esa mañana había enviado a Martin, Gates y Loring a una cita en el bosque de Cheriton.

Wexford había salido de casa antes de que llegara el periódico de la mañana, y ahora, a las nueve, entraba en Braddon's dispuesto a comprar todos los diarios. La tienda acababa de abrir, pero alguien se le había adelantado. Wexford suspiró. Conocía esa cabeza redonda y gris, esa figura achaparrada y enjuta. Incluso en ese momento, mientras compraba inocentemente el diario deportivo, tenía un aire sospechoso.

—Buenos días, Mono —saludó amablemente Wexford.

Mono Matthews no dio un brinco. Quedó inmovilizado un instante y luego se volvió. Cuando se lo miraba cara a cara era fácil comprender de dónde le venía el apodo. Elevó su prognata mandíbula, arrugó la nariz y dijo sombríamente:

—Qué pequeño es el mundo. Entro con Rube para comprar un billete de autobús sin meterme con nadie, y antes de que me atiendan ya tengo a la pasma pisándome los talones.

—Cómo eres —dijo afablemente Wexford. Compró los diarios y condujo a Mono hasta la calle.

—No he hecho nada. —Mono siempre hacía esa observación a la policía, incluso cuando tropezaba con ella por casualidad, como ahora. En una ocasión, Burden le respondió: «Dos negaciones hacen una afirmación, de modo que algo habrás hecho.»

—Cuánto tiempo sin verte.

Wexford sabía que a Mono le irritaba esa clase de comentarios. Para ocultar su turbación, el hombre encendió un cigarrillo y dio una profunda calada.

—He estado en el norte, en Liverpool —respondió vagamente—, trabajando en el negocio textil.

Wexford decidió que más tarde lo comprobaría. Entretanto, se dejaría llevar por su instinto.

—Has estado en Walton.

Al oír el nombre de la prisión, Mono se sacó el cigarrillo de la boca y escupió.

—Yo y mi compañero —dijo—, un hombre honrado como la copa de un pino, teníamos una especie de puestecillo y un cadete hijo de perra nos colocó cincuenta docenas de medias de red. Se suponía que iban a quitárnoslas de las manos, pero la mitad no tenía entrepierna. El agente sangró un poco.

—No me cuentes historias —dijo Wexford, y suavizando el tono, agregó—: Has vuelto con Ruby, ¿no es cierto? ¿Cuándo piensas hacer de ella una mujer decente?

—¿Con mi esposa todavía en este mundo? —Sin pretenderlo, Mono citó el refrán picaresco del rey Lear—: La bigamia, señor, es un crimen. Disculpe, pero ahí llega mi autobús. No puedo pasarme el día charlando con usted.

Sonriendo abiertamente, Wexford lo observó alejarse hacia la parada del autobús del puente de Kingsbrook. Entonces echó un vistazo a la portada del primer periódico, leyó que Stella había sido encontrada por un tal sargento Burton en una cueva próxima al pequeño villorrio de Stowerton, y su sonrisa se convirtió en una mueca de disgusto.

9

Mono Matthews había nacido durante la Primera Guerra Mundial en el East End de Londres y fue educado esencialmente en reformatorios para menores. Cuando cumplió veinte años se casó y se mudó a Kingsmarkham, la ciudad natal de su esposa, con quien vivía —cuando no estaba en la cárcel— en casa de los padres de ésta. La violencia no formaba parte de su carácter, pero más por cobardía que por principio. Lo suyo era robar. Robaba en casas privadas, robaba a su propia esposa, a sus suegros ancianos y a las pocas personas que cometían la imprudencia de contratarlo.

Cuando estalló la Segunda Guerra Mundial ingresó en el ejército, donde robaba provisiones, uniformes de oficiales y pequeños aparatos eléctricos. Viajó a Alemania con el ejército de ocupación, devino un experto en el mercado negro y, de regreso a casa, se convirtió en el que seguramente fue el primer estraperlista de Kingsmarkham. Pacientemente, su esposa lo recogía cada vez que salía de la cárcel.

Pese a su aspecto, las mujeres lo encontraban atractivo. Había conocido a Ruby Branch en los juzgados de Kingsmarkham cuando ella salía con la libertad provisional bajo el brazo y él entraba flanqueado por dos agentes de policía. No se hablaron, evidentemente. Pero Mono la buscó cuando recuperó la libertad y se convirtió en asiduo visitante de su casa de Charteris Road, en Stowerton, especialmente cuando el señor Branch trabajaba en el turno de noche. Mono convenció a Ruby de que no sacaba suficiente provecho de su trabajo en la fábrica de ropa interior, y al poco tiempo, siguiendo su consejo, la mujer fichaba casi todos los viernes del trabajo con tres sostenes, seis enaguas y seis ligueros bajo el vestido. Amante apasionado, Mono esperaba impaciente su regreso de Holloway.

Desde entonces Wexford había arrestado a Mono por atraco a comercios y hurto como criado, por intentar cargarse a una rival de Ruby con una bomba casera y por robo mediante timo. Mono casi tenía la edad de Wexford y le quedaba tanta vida como a éste a pesar de que fumaba sesenta cigarrillos diarios, carecía de medios legítimos para mantenerse y, desde que su mujer lo había echado definitivamente de casa, no poseía un domicilio fijo.

Camino de la oficina, Wexford reflexionó sobre Mono Matthews. Era incapaz de permanecer libre mucho tiempo sin meterse en problemas. Pese a lo ocupado que estaba, decidió realizar la comprobación que había acordado frente al kiosco.

Muy pronto confirmó sus sospechas de que Mono había pasado una temporada en Walton. Liberado en septiembre, había sido condenado por aceptar, a sabiendas de que era mercancía robada, una cantidad exorbitante de medias, bragas de nailon, enaguas y otras prendas que, de haberlas vendido, habrían alcanzado para vestir a toda la población adolescente femenina de Liverpool durante meses.

Sacudiendo la cabeza, pero sonriendo con ironía, Wexford apartó a Mono de sus pensamientos y se concentró en la pila de informes que aguardaban su atención. Iba por la lectura del tercero cuando el sargento Martin entró.

—Está claro que nadie acudió a la cita, ¿verdad? —dijo el inspector jefe levantando la cabeza.

—Eso me temo, señor. Nos separamos, tal como usted nos indicó que hiciéramos. El bosque en esa zona es muy denso, de modo que es imposible que el hombre nos haya visto. La única persona que apareció por la carretera resultó ser el recepcionista del hotel Cheriton Forest y nadie asomó por la vereda. Esperamos hasta las diez.

—Sabía que era una pérdida de tiempo —dijo Wexford.

Burden compartía la antipatía de su jefe por Ivor y Rosalind Swan, pero le resultaba imposible verlos con el mismo cinismo. Esa pareja tenía algo, poseía esa relación especial entre dos personas que se aman casi exclusivamente y pretenden que su amor perdure hasta que la muerte los separe. ¿Volvería él a encontrar un amor así? ¿Tendría alguna vez todo lo que un hombre puede desear, sabiendo que muy pocos lo alcanzaban? Rosalind Swan había perdido a su única hija de un modo horrible, pero podía soportar el dolor de su pérdida mientras tuviera a su marido. Burden presentía que esa mujer habría sacrificado a una docena de niños por conservar a Swan. ¿Cómo había encajado Stella en tan prolongada luna de miel? ¿Había sido un estorbo para ellos, una tercera persona molesta e inoportuna?

Wexford llevaba media hora interrogando a la pareja. La señora Swan estaba cansada y pálida, pero parecía sentir la enormidad del interrogatorio de su marido con mayor intensidad que la causa del mismo.

—Ivor quería a Stella —repetía una y otra vez—, y Stella le correspondía.

—Venga, señor Swan —prosiguió Wexford, ignorando las palabras de su mujer—, seguro que desde entonces ha meditado sobre su paseo a caballo y pese a todo no puede nombrarme una sola persona, aparte del señor Blain, que lo hubiese visto aquella tarde.

—He meditado poco sobre el asunto —repuso Swan, sosteniendo con fuerza la mano de su esposa—. Quería olvidarlo. En cualquier caso, recuerdo que tropecé con algunas personas, pero no me fijé en su aspecto ni en la matrícula de sus coches. No esperará que vaya por ahí anotando las matrículas de los coches, ¿verdad? Ignoraba que iba a necesitar una coartada.

—Te prepararé una copa, cariño. —La señora Swan actuó con el mismo esmero que otra mujer habría empleado en preparar la comida de su bebé. Lustró el vaso con una servilleta de papel y pidió a Gudrun un poco de hielo—. Aquí la tienes. ¿He puesto demasiada soda?

—Eres tan buena conmigo, Rossy... Soy yo quien debería cuidarte.

La mujer, advirtió Burden, enrojecía de satisfacción. Luego tomó la mano de su marido y la besó como si en la sala no hubiese nadie más.

—Haremos un viaje —decidió la señora Swan—. Partiremos mañana mismo e intentaremos olvidar todo este horrible asunto.

La escena, que había despertado la envidia de Burden, no enterneció en absoluto a Wexford.

—Es preferible que no se muevan de aquí hasta que tengamos una idea más clara sobre el caso —advirtió el inspector jefe—. Además, pronto se celebrará una encuesta judicial y, probablemente —añadió con inflexible sarcasmo—, un entierro.

—¿Una encuesta judicial? —preguntó horrorizado Swan.

—Naturalmente. ¿Qué esperaba?

—Una encuesta judicial —repitió Swan—. ¿Tendré que asistir?

Wexford se encogió de hombros y respondió impaciente:

—Eso lo decidirá el juez. Pero, sí, estoy seguro de que requerirá su presencia.

—Bébete la copa, mi amor. Todo irá bien si estamos juntos.

—¡Parece usted su madre! —explotó Wexford.

Burden no dijo nada. Estaba preguntándose si su concepto del amor de madre era una falacia. Hasta ese momento creía que para una madre la muerte de un hijo constituía algo intolerablemente doloroso, pero tal vez estuviese equivocado. Las personas eran muy adaptables. Se recuperaban rápidamente de las tragedias, sobre todo si tenían alguien a quien amar, sobre todo si eran jóvenes. Rosalind Swan tenía a su marido. ¿A quién tendría Gemma Lawrence cuando la llevaran al depósito de cadáveres para identificar el cuerpo de un niño?

Habían transcurrido tres días desde su último encuentro, pero no había dejado de pensar en ella ni por un instante. Cada vez que revivía el beso se estremecía de excitación. Todos sus esfuerzos por no recrearse en ella y en ese beso eran inútiles, y no digamos la posibilidad de apartarla de su mente y de sus ojos. La imagen de Gemma casi se le aparecía más vívida en su ausencia que en su presencia, el cuerpo más suave y turgente, el cabello más espeso y brillante, más enternecedora su dulzura infantil. Con todo, Burden presentía que mientras se mantuviese a distancia estaría a salvo. El tiempo se encargaría de borrar el recuerdo, siempre y cuando tuviera el coraje suficiente para mantenerse alejado.

Una vez en el coche, Burden sintió la mirada interrogativa de Wexford y se vio obligado a decir algo.

—¿Qué se sabe del señor Rivers, el padre de Stella? —preguntó finalmente—. Imagino que habló con él en febrero, señor.

—Así es. Apenas obtenido el divorcio volvió a casarse y la compañía aérea lo destinó a San Francisco. Hicimos algo más que hablar con él, le seguimos la pista. Siempre cabía la posibilidad de que hubiese asomado por aquí y se hubiese llevado a su hija a Estados Unidos.

—¿Así de sencillo? ¿Bajó del avión, cogió a la niña y salió otra vez volando? El señor Rivers no es un hombre rico.

—Lo sé —replicó Wexford—, pero pudo hacerlo con la misma facilidad que un millonario con avión privado. No olvides que trabaja en una compañía aérea y, como cualquier empleado, viaja por una décima parte de la tarifa normal, descuento del que también se benefician, dentro de lo razonable, los familiares que lo acompañan. Además, está autorizado a subir a cualquier avión que disponga de una plaza libre. Gatwick está a menos de cincuenta kilómetros de aquí, Mike. Una vez conociera los movimientos de la muchacha, sólo le quedaba conseguirle un pasaporte y un billete.

—Pero no lo hizo.

—No, no lo hizo. El 25 de febrero estuvo todo el

día trabajando en San Francisco. Naturalmente, vino cuando le comunicaron la desaparición de Stella, y no hay duda de que volveremos a verlo muy pronto.

Durante la ausencia de Wexford habían llegado informes detallados del departamento forense que confirmaban el diagnóstico de Crocker y que, teniendo en cuenta la experiencia de los investigadores, añadían poco más. Habían transcurrido ocho meses desde la muerte de la muchacha, pero se llegó a la conclusión de que había muerto a causa de una presión manual sobre la garganta y la boca. Sus ropas mohosas y harapientas no ofrecían pista alguna, como tampoco la losa que cubría el depósito.

Existían más llamadas telefónicas de gente que aseguraba haber visto a John, que aseguraba haber visto a Stella en septiembre, que aseguraba haberlos visto juntos. Una mujer que estaba de vacaciones en la isla de Mull escribió para decir que una muchacha que respondía a la descripción de Stella habló con ella en la playa y le preguntó por la carretera que llevaba a Tobermory. El pequeño que la acompañaba era rubio y la niña dijo que se llamaba John.

—Ojalá no nos hicieran perder tanto tiempo —se lamentó Wexford, consciente de que la carta tenía que verificarse, y cogió el siguiente sobre—. ¿Qué es esto? Parece otro comunicado de nuestro criador de conejos.

Le advertí que no me aguardaran. ¿Realmente creyó que ignoraba lo que se traían entre manos? Lo sé todo. Sus hombres no son muy hábiles en el arte de ocultarse. A John le entristeció no poder volver a casa el lunes. Lloró durante toda la noche. Sólo se lo devolveré a su madre. La señora Lawrence deberá estar *sola* el viernes a las doce en el mismo lugar. Recuerde lo que hice con Stella Rivers y no intente más trucos. Enviaré una copia de esta carta a la madre de John.

—Afortunadamente no la verá. Martin recoge cada día su correo. Si no atrapamos a ese tipo antes del viernes, una de nuestras agentes tendrá que ponerse una peluca pelirroja.

A Burden le desagradaba profundamente la idea de una caricatura de Gemma esperando a un niño que no iba a aparecer.

—No me ha gustado eso último que ha dicho sobre Stella Rivers —murmuró.

—No significa nada, seguramente lo ha sacado de los periódicos. Por Dios, Mike, no me digas que has picado. No es más que un farsante. Ahí llega Martin con el correo de la señora Lawrence. Démelo a mí, sargento. Gracias. Ah, aquí está la copia del desahogo de nuestro amigo.

Burden no pudo reprimirse.

—¿Cómo está? —preguntó.

—¿La señora Lawrence, señor? Parecía algo desmejorada.

Las mejillas de Burden enrojecieron.

—¿Qué quiere decir?

—Estuvo bebiendo, señor. —Martin titubeó, permitiendo que su rostro mostrara parte de su exasperación. El inspector tenía la mirada helada, las facciones rígidas, un rubor mojigato en las mejillas. ¿Cuándo dejaría de ser un maldito puritano? ¿Acaso no era comprensible que una mujer angustiada ahogara sus penas en un poco de alcohol?—. No debería extrañarle, señor. Quiero decir que...

—Muchas veces me pregunto qué quiere usted

decir, Martin —espetó Burden—. Créame, no le entiendo.

—Lo siento, señor.

—Imagino que habrá alguien con ella, ¿no? —Wexford levantó la vista de la carta y de la copia que estaba leyendo.

—La amiga de la señora Lawrence no apareció —explicó Martin—. Parece ser que se ofendió cuando la policía de Londres se presentó en su casa preguntando si ella o su novio habían visto últimamente a John. Me temo que no fueron muy diplomáticos, señor. El novio posee antecedentes penales y está sin trabajo. Ella enseña en una escuela de arte dramático y actúa de vez en cuando. Dijo que si se difundía el rumor de que la policía había estado interrogándola, la perjudicaría en su trabajo. Me ofrecí a buscar algún vecino, pero la señora Lawrence se negó en redondo. ¿Cree que debería volver y...?

—¡Me trae sin cuidado adónde vaya siempre y cuando desaparezca de mi vista!

—Ya basta —dijo Wexford con tono conciliador—. Gracias, sargento.

Cuando Martin se hubo marchado, el inspector jefe miró a Burden.

—Desde que dejamos Hall Farm pareces nervioso, Mike. ¿Qué te ha hecho Martin para tratarlo de ese modo?

Si Burden hubiese sido consciente del modo en que su rostro reflejaba todo su dolor y sus turbulentos pensamientos, no habría levantado la cabeza para mirar al inspector jefe. Pensativo, Wexford le devolvió la mirada, pero ambos guardaron silencio. «¿Por qué no te buscas una mujer? —pensaba el inspector jefe—. ¿Quieres provocarte un colapso nervioso?» Pero a Mike Burden no podía decirle esas cosas.

—Me voy —musitó Burden—. Averígüe si necesitan ayuda para rastrear el bosque.

Wexford lo dejó marchar. Sacudió la cabeza con tristeza. Burden sabía tan bien como él que el rastreo del bosque de Cheriton había finalizado el lunes por la tarde.

10

La encuesta judicial sobre el caso Rivers se abrió y se aplazó hasta la aparición de nuevas pruebas. El matrimonio Swan asistió e Ivor efectuó su declaración con voz entrecortada, impresionando al juez con su imagen de padre destrozado. Era la primera muestra de dolor real que Wexford percibía en el padrastro de Stella, y se preguntó por qué necesitó la encuesta para sacarlo a la luz. Swan había escuchado la noticia del descubrimiento de Burden con estoicismo e identificó el cuerpo de Stella sin desfallecer. ¿Por qué se derrumbaba ahora? Porque estaba derrumbado. Mientras Wexford abandonaba la sala del tribunal, advirtió que Swan, aferrando el brazo de su mujer, lloraba como un alma en pena.

El inspector jefe tenía ahora la oportunidad de comprobar que efectivamente Rosalind Swan no podía conducir. Impaciente, observó a la pareja entrar en la furgoneta. Y fue ella quien se instaló en el asiento del conductor. Pero al cabo de un rato, luego de susurrarse unas palabras y juntar brevemente las mejillas, se intercambiaron los asientos. «Qué extraño», pensó Wexford.

Swan tomó cansinamente el volante y partieron en dirección a Myfleet Road.

Rosalind lo ayudaría a entrar en casa y lo consolaría con sus cócteles, sus besos y su cariño, pensó Wexford. «Acércate, acércate, dame tu mano —se dijo—. Lo hecho, hecho está. A la cama, a la cama, a la cama.» Rosalind Swan no era una Lady Macbeth capaz de inducir al asesinato o siquiera planearlo. O al menos eso creía. Pero sí la veía capaz de encubrir cualquier crimen cometido por Swan, incluido el asesinato de su hija, con tal de mantenerlo a su lado.

El tiempo había empeorado. Una fina llovizna dispersaba la neblina que se había aposentado sobre Kingsmarkham desde primera hora de la mañana. Wexford se subió el cuello de la gabardina y recorrió a pie los escasos metros que separaban los juzgados de la comisaría. Nadie en la sala del tribunal había mencionado el nombre de John Lawrence, pero la idea de que otro niño seguía desaparecido impregnaba, pensó él, todo lo que allí se había dicho. No existía un solo habitante en Kingsmarkham o en Stowerton que no relacionara ambos casos, ni un solo padre que dudara de que un asesino de niños rondaba la región. Hasta los rostros de los policías que flanqueaban las puertas de los juzgados reflejaban la convicción de que un loco, un psicópata que mataba niños sencillamente por el hecho de ser niños, seguía libre y podía atacar de nuevo. Wexford no recordaba ninguna otra encuesta judicial en que esos hombres curtidos se hubiesen mostrado tan hoscos y alicaídos.

El inspector jefe se detuvo y contempló High Street en toda su longitud. Las vacaciones de las escuelas primarias habían tocado a su fin y los alumnos más pequeños volvían a sus tareas. Las vacaciones de los mayores aún no habían comenzado. Pero ¿era su imaginación o un hecho real que esa mañana apenas veía niños acompañados de sus madres o mujeres empujando cochecitos? En ese preciso instante divisó a una madre que dejaba un cochecito junto al supermercado. La mujer levantó al pequeño y lo sostuvo entre sus brazos mientras se llevaba por delante a la hermanita mayor, que apenas daba sus primeros pasos. Que semejante precaución debiera ejercerse en la ciudad de la que él era guardián lo deprimía profundamente.

¿Por qué no Ivor Swan? ¿Por qué no? Que careciera de antecedentes penales no significaba nada. Tal vez no los tenía porque nunca lo habían cogido con las manos en la masa. Wexford decidió que revisaría de nuevo la vida de Swan, poniendo especial atención en los distritos donde había vivido desde que había abandonado Oxford. Averiguaría si algún niño había desaparecido mientras Swan se hallaba por la zona. Se juró que si Swan había cometido ese crimen, le echaría el guante.

Pero antes de ahondar en los antecedentes del padrastro tenía que ver al verdadero padre de Stella. La cita era a las doce, y cuando Wexford llegó a su despacho Peter Rivers ya le aguardaba.

Una mujer generalmente se siente atraída por una misma clase de hombre, y Rivers no era distinto de su sucesor. El hombre poseía su misma gallardía, el mismo aspecto acicalado, la cabeza pequeña y proporcionada, las facciones distinguidas, casi elegantes, unas manos casi femeninas. No obstante, a Rivers le faltaba el aire indolente de Ivor Swan, pues daba la impresión de que sexualmente lo era todo menos indolente. Rivers emanaba movimiento, una agitación nerviosa mezclada con modales desasosegados que probablemente no eran del agrado de una cursi romántica como Rosalind Swan.

Rivers se sobresaltó cuando Wexford entró en el despacho, y se embarcó en una explicación interminable sobre el motivo por el que no había asistido a la encuesta judicial, seguida de un informe acerca de lo fatigoso que resultaba el viaje desde Estados Unidos. Wexford lo interrumpió ásperamente.

—¿Piensa ver a su mujer mientras esté aquí?

—Supongo que sí. —Aunque domiciliado en Estados Unidos desde hacía menos de un año, ya hablaba como un estadounidense—. Supongo que no tendré más remedio. Huelga decir que no soporto a ese Swan. Nunca me gustó la idea de que Stell viviera con él.

—Imagino que no pudo hacer nada para evitarlo.

—¿De dónde ha sacado esa idea? Si nunca me opuse a que mi ex esposa asumiera la custodia de Stell fue por Lois, la actual señora Rivers. No quería cargar con una niña tan mayor. A Rosalind tampoco le enloquecía la idea de quedarse con su hija, pero Swan insistió. No me pregunte por qué.

Asqueado, Wexford se limitó a asentir con la cabeza.

—Swan sabía que no le quedaría un penique después de pagar las costas, ni siquiera un lugar donde vivir, nada. Los tres se instalaron en un apartamento de mala muerte en Paddington. Entonces su tío les ofreció Hall Farm con la condición de que Rosie se quedara con Stell. Es cierto, la propia Rosie me lo contó.

—Pero ¿por qué? ¿Qué interés podía tener el tío en la niña?

—Quería que Swan sentase la cabeza, que sacara adelante a una familia e hiciera algo provechoso. Swan se apuntó a un curso de agricultura en la universidad local para aprender a cultivar la tierra. En cuanto se instaló en Hall Farm, arrendó el terreno a un granjero que le tenía puesto el ojo. No comprendo por qué el tío no los echa de una patada. Tiene mucho dinero y nadie a quien dejárselo excepto Swan.

—Por lo que veo, sabe usted muchas cosas, señor Rivers.

—Me preocupé de que así fuera. Rosie y yo nos escribimos con regularidad desde la desaparición de Stell. Le diré otra cosa. Antes de que aterrizara en Karachi y destrozara mi matrimonio, el señor Ivor Swan vivía con su tío y la esposa de éste. Pero ella falleció mientras él estaba en la casa. Comprenderá a qué me refiero si le digo que murió de manera... inesperada.

—¿Eso cree?

—Usted es detective. Pensaba que semejante información le daría en qué pensar. Swan creía que iba a caerle algún dinero, pero todo fue a parar a manos de su tío.

—Creo que no le robaré más tiempo, señor Rivers —dijo Wexford, quien empezaba a creer que Rosalind Swan tenía un gusto pésimo con los hombres.

La aversión que sentía por Swan era una nimiedad comparada con el asco que le inspiraba Peter Rivers. Lo observó abotonarse la gabardina y esperó a que dijera algo acerca del dolor que sentía por la pérdida de esa niña que nadie parecía haber querido. Las palabras finalmente llegaron y de forma algo curiosa.

—La muerte de mi hija me impresionó —aseguró enérgicamente Rivers—, pero en cierto modo Stell ya había muerto para mí dos años antes. Siempre supuse que no volvería a verla. —Caminó hacia la puerta, indiferente a la mirada desdeñosa de Wexford—. Un periódico me ha ofrecido dos mil libras por la exclusiva de mis declaraciones.

—Oh, yo en su lugar las aceptaría —le aconsejó fríamente Wexford—. Será una especie de compensación por la trágica pérdida que ha sufrido.

Se acercó a la ventana. Seguía lloviendo. Los niños que comían en casa comenzaban a asomar por Queen Street, donde estaba la escuela primaria. Normalmente, en los días lluviosos llegaban a casa como podían. Sin embargo, ese día, el primero de la segunda mitad del trimestre, todos iban acompañados, todos disfrutaban de la protección de un paraguas, lo cual, para Wexford, tenía un significado más profundo que el mero deseo de proteger sus cabecitas de la lluvia.

Burden pasó la tarde ocupado en inspecciones rutinarias. Llegó a casa poco después de las seis. Casi por primera vez desde la muerte de Jean ansiaba estar en casa, en compañía de su hijo y especialmente de su hija. Había pensado en ella todo el día, su imagen apartaba la imagen de Gemma, y a medida que se familiarizaba con las circunstancias de la vida y la muerte de Stella, imaginaba una y otra vez a su hija Pat sola, asustada, cruelmente subyugada y... muerta.

Fue ella quien corrió a abrirle la puerta sin apenas darle tiempo de introducir la llave en la cerradura. Y Burden, percibiendo en sus ojos un desconcierto inusual, una necesidad inusitada de consuelo, se inclinó al instante y la rodeó con sus brazos. Ignoraba, sin embargo, que Pat había reñido con su tía y natural aliada y buscaba el apoyo de la única persona adulta disponible aparte de ella.

—¿Qué ocurre, cariño? —Burden vio un coche

detenerse, una mano que hacía señas y una figura que apretaba el paso en la húmeda penumbra—. Cuéntame qué ha sucedido.

—Tienes que decirle a tía Grace que no venga a buscarme a la escuela. Estoy en la secundaria y ya no soy una niña. Ha sido humillante.

—¿Eso es todo? —preguntó Burden aliviado y agradecido. Se rió de la expresión de malhumor de su hija, le tiró de la coleta y fue a la cocina para agradecer a Grace la precaución. ¡Qué estúpido había sido de preocuparse tanto cuando contaba con tan estupenda guardiana!

Pero esa noche sentía la necesidad de estar cerca de su hija. Durante la cena y después, mientras ayudaba a John con la geometría —el teorema de Pitágoras en su tercera forma que el «viejo Cara de Menta» insistía en que memorizaran para el día siguiente—, sus pensamientos y sus ojos vagaban hacia Pat. Había fallado a su hija. Arrastrado por su dolor egoísta había dejado de preocuparse por ella y de interesarse por sus cosas. ¿Qué habría ocurrido si la hubieran arrancado de su lado como habían hecho con Stella Rivers, que tenía su misma edad?

—En un triángulo rectángulo —dijo mecánicamente Burden— el cuadrado de la hipotenusa es igual a la suma de los cuadrados de los catetos.

Grace no le había fallado. La observó furtivamente mientras John trazaba un diagrama. Estaba sentada en un rincón en sombras de la sala. Una lámpara de mesa proyectaba un estrecho foco de luz sobre la carta que estaba escribiendo. De repente, pensó que probablemente su cuñada había adoptado una postura similar centenares de veces, frente al escritorio de una sala de hospital larga y silenciosa, para redactar el informe de la noche, sin olvidar en ningún momento que estaba rodeada de seres que dependían de ella, pero a la vez recluida y desvinculada de todos ellos. Escribía y de hecho todo lo hacía con movimientos parsimoniosos, sin aspavientos ni revuelo. Su formación le había enseñado esa eficiencia, esa confianza casi pasmosa que en lugar de malograr su feminidad, la realzaba. Fueron sabios y profetas, pensó, esos suegros suyos, cuando le pusieron el nombre de Grace.

Ahora su mirada abarcaba a su hija y a su cuñada. La pequeña, que se había acercado a su tía, estaba de pie detrás de ella, envuelta en el mismo halo de luz. Eran muy parecidas. Poseían el mismo rostro firme y apacible, el mismo cabello claro y nebuloso. Ambas se parecían a Jean. La imagen de Gemma Lawrence adquirió, en comparación con ellas, un color agresivo, rojo y blanco, tenso. Luego se desvaneció, dejando un hueco que su hija y su cuñada llenaron con esa saludable belleza que él entendía.

Grace, advirtió Burden, representaba la clase de mujer que él admiraba. Reunía la hermosura delicada que amaba y las aptitudes que necesitaba. Se preguntó si podría convertirse en otra Jean. ¿Por qué no? ¿No podía ser ella tan amante y devota para con él como Rosalind Swan, pero sin la estúpida afectación de ésta? Normalmente, cuando llegaba la noche Grace sencillamente se levantaba de su butaca, cogía su libro y decía: «Buenas noches, Mike, que duermas bien», y él respondía: «Buenas noches, Grace. Ya cerraré yo.» Eso era todo. Sus manos nunca se tocaban, sus cuerpos nunca se aproximaban, sus miradas nunca se encontraban.

Pero esa noche, cuando llegara el momento de separarse, ¿por qué no le tomaba la mano y le decía lo mucho que apreciaba su bondad? ¿Por qué no la rodeaba suavemente con sus brazos y la besaba? La miró de nuevo y esta vez Grace y Pat se volvieron hacia él y sonrieron. El corazón de Burden se colmó de una felicidad serena y cálida, muy diferente de la tormenta de sentimientos que Gemma Lawrence despertaba en él. Aquello había sido una especie de locura, simple lujuria provocada por la frustración. ¡Qué ridículo le parecía ahora!

Pat amaba a su tía. Si él se casara con Grace, recuperaría a su hija por completo. Burden le tendió la mano y ella, olvidándose de su enojo, se acercó y se acurrucó contra él en el sofá al tiempo que le echaba los brazos al cuello.

—¿Quieres ver mi álbum de recortes?

—¿Qué guardas en él? —preguntó John con la mirada fija en la comprobación de su teorema—. ¿Fotografías de orugas?

—Las orugas son mi afición del verano —repuso dignamente Pat—. Eres tan ignorante que ni siquiera sabes que en invierno se meten en su crisálida.

—Y tú no serías capaz ni de coleccionar fotos de crisálidas. ¡Déjamelo ver!

—¡Ni lo sueñes! ¡Es mío!

—Déjala en paz, John. Devuélvele el álbum.

—Sólo tiene bailarinas, viejas bailarinas clásicas —dijo John con asco.

—Ven aquí y enséñamelas, cariño.

Pat reanudó el acoso de su padre.

—¿Puedo apuntarme a clases de ballet, papá? Es la gran ilusión de mi vida.

—No veo por qué no.

Grace había terminado la carta y miró a su cuñado. Ambos sonrieron como padres afectuosos, felices e ilusionados al hablar del futuro de sus hijos.

—El caso es que si no empiezo ya —dijo Pat—,

luego será demasiado tarde. Sé que tendré que trabajar mucho, pero no me importa porque es mi gran ambición, y tal vez consiga una beca e ingrese en la compañía del Bolshoi y me convierta en la *prima ballerina assoluta,* como Leonie West.

—Pensaba que querías ser investigadora científica —intervino su hermano.

—Oh, eso era hace años, cuando era una niña.

Una sombra fría rozó a Burden.

—¿Quién has dicho?

—Leonie West. Vive absolutamente retirada en su apartamento y en su casa de la playa. Se rompió una pierna esquiando y tuvo que abandonar la danza, pero era la bailarina más maravillosa del mundo. —Pat reflexionó—. O por lo menos, eso pienso yo. Tengo un montón de fotografías de ella. ¿Quieres verlas?

—Desde luego, cariño.

Efectivamente, había fotografías por doquier. Pat las había recortado de revistas y periódicos. No todas eran de Leonie West, pero sí la mayor parte.

En los planos largos Leonie West resultaba una mujer hermosa, pero el paso del tiempo, y quizá los sacrificios de una vida al servicio de la danza, mostraba su huella en los planos cortos. Aunque Burden no hallaba magia alguna en esa cara en forma de corazón excesivamente maquillada, con esa melena negra y lacia, le dedicó comentarios elogiosos para complacer a su hija a medida que volvía las páginas.

Había fotogramas de películas de ballet, retratos de la estrella en casa, en actos sociales, interpretando a todos los grandes personajes clásicos. Se acercaba al final cuando dijo:

—Es un álbum muy bonito, cariño —y volvió la última página.

Un entusiasta de Leonie West sólo habría tenido ojos para ella, para esa magnífica figura que lucía una larga capa ricamente bordada en oro. Burden apenas reparó en la bailarina. Estaba observando, mientras el corazón le latía cada vez más deprisa, la muchedumbre de amigos de la que había emergido. Justo detrás de la bailarina, cogida del brazo de un hombre y sonriendo lánguidamente, había una mujer pelirroja envuelta en un chal negro y dorado.

No necesitaba leer el pie de la fotografía, pero lo hizo. «Retratada en el estreno de *La Fille Mal Gardée*, en el Covent Garden, aparece la señorita Leonie West con el actor Matthew Lawrence (derecha) y su esposa Gemma, 23.» No dijo nada, pero cerró rápidamente el álbum y se recostó en el sofá, con los párpados cerrados, como si hubiese sentido un dolor repentino.

Nadie se fijó en él. John estaba memorizando su teorema. Pat se había llevado el álbum para devolverlo al baúl de sus tesoros secretos. Eran las nueve.

—Es hora de acostarse, queridos —anunció Grace.

Sobrevino la discusión habitual. Burden pronunció las palabras severas que todos esperaban de él, pero sin entusiasmo, sin importarle realmente que sus hijos durmieran o no lo suficiente. Cogió el periódico de la tarde, que aún no había leído. Las palabras no eran más que dibujos en blanco y negro, jeroglíficos que le resultaban tan indescifrables como le resultarían a un analfabeto.

Grace regresó después de haber dado un beso de buenas noches a Pat. Se había cepillado el pelo y renovado la pintura de los labios. Burden lo notó y experimentó una profunda aversión. Ésa era la misma mujer que media hora antes había pensado en cortejar con vistas a convertirla en su segunda esposa. Debió de haberse vuelto loco. De pronto comprendió que todas sus figuraciones de esa noche habían sido una locura, una fantasía creada por él mismo, y lo que éstas habían hecho parecer una locura era, sencillamente, su realidad.

Jamás podría casarse con Grace, pues mientras la estuvo observando, estudiando y admirando, había olvidado lo que cualquier matrimonio feliz debía tener, lo que Rosalind Swan claramente tenía. Le agradaba Grace, estaba cómodo a su lado, incluso constituía su ideal de mujer, pero no sentía por ella el menor deseo. Sólo la idea de besarla, de ir más allá de ese beso, le ponía la carne de gallina.

Grace había acercado su butaca al sofá donde él estaba sentado, y dejando a un lado su libro, lo miró expectante, aguardando esa conversación, ese intercambio adulto de ideas que le había sido negado durante el día. Los sentimientos de Burden hacia ella eran tan frágiles, la aceptación de ella como un ser feliz con el mundo que él le había proporcionado tan inmensa, que nunca se le ocurrió que a ella pudiera dolerle algo de lo que él hiciera.

—Me voy —dijo.

—¿Ahora?

—Tengo que salir, Grace.

Ahora lo comprendía. «¿Tan aburrida soy? —preguntaba Grace con la mirada—. Lo he hecho todo por ti. He llevado tu casa, he cuidado de tus hijos, he soportado tus malos humores. ¿Tan aburrida soy que no puedes sentarte tranquilamente conmigo una sola noche?»

—Como quieras —dijo ella en voz alta.

11

La lluvia había cesado y una niebla densa envolvía los campos. Gruesas gotas de agua se adherían a los árboles y caían lenta pero regularmente, ofreciendo la impresión de que aún llovía. Burden dobló por Fontaine Road y de inmediato efectuó un giro de ciento ochenta grados. No quería que los vecinos vieran su coche estacionado de noche frente a la casa de ella. Probablemente toda la calle estaba al acecho, presta a propagar rumores y chismorreos.

Finalmente se detuvo al final de Chiltern Avenue. Un sendero que bordeaba al parque infantil unía esta calle sin salida con la vecina Fontaine Road. Burden aparcó bajo una farola cuya luz la niebla había reducido a un nimbo de vago resplandor, y se dirigió al sendero. Esa noche el comienzo del camino semejaba la entrada de un túnel tenebroso. No había luces en las casas adyacentes y el único sonido que llegaba era el del agua goteando.

Caminó flanqueado por arbustos cuyas ramas, de follaje empapado y moribundo, le golpeaban la cara y se aferraban suavemente a sus ropas. A medio camino extrajo la linterna que siempre llevaba consigo y la encendió. Cuando pasaba por delante de la verja de la señora Mitchell que daba al camino, oyó el chacoloteo pesado de unos pies. Burden se volvió, dirigiendo la linterna hacia el tramo que acababa de dejar atrás. La luz tropezó con una cara pálida, encuadrada en una melena revuelta y mojada.

—¿Qué ocurre?

La muchacha debió de reconocerlo, porque casi se arrojó a los brazos. Él también la reconoció. Era la hija de la señora Crantock, una jovencita de catorce años.

—Pareces asustada —dijo Burden.

—Un hombre —jadeó la muchacha—, de pie junto a un coche. Me dijo algo y salí corriendo.

—No deberías ir sola por la calle a estas horas de la noche. —El inspector se disponía a acompañarla hasta Fontaine Road pero cambió de parecer—. Acompáñame —dijo. La joven vaciló—. Conmigo estás a salvo.

Retrocedieron por el negro túnel. Los dientes de la muchacha castañeteaban. Burden alzó la linterna y a modo de proyector enfocó la figura de un hombre que estaba de pie junto al capó de su coche. El abrigo de tres cuartos, con la capucha echada hacia adelante, le confería un aire suficientemente siniestro para asustar a la muchacha.

—Oh, es el señor Rushworth —exclamó avergonzada la muchacha.

Burden había reconocido al hombre y advirtió que él también lo reconocía. Frunciendo ligeramente el entrecejo, se acercó al marido de la mujer que no notificó a la policía las advertencias de la señora Mitchell.

—Ha dado a esta jovencita un pequeño susto.

La luz de la linterna hizo parpadear a Rushworth.

—Le dije hola y comenté que hacía una noche de perros. La muchacha salió disparada como si le persiguieran todos los demonios del infierno. No lo entiendo. Me conoce de vista.

—Todo el vecindario está un poco nervioso últimamente, señor —razonó Burden—. Conviene no hablar con gente a la que no se conoce realmente. Buenas noches.

—Imagino que estaba paseando a su perro —dijo la niña mientras entraban en Fontaine Road—. Aunque de hecho no lo vi. ¿Vio usted el perro?

Burden no había visto ningún perro.

—No deberías ir sola por la calle a estas horas de la noche.

—Estaba en casa de una amiga escuchando discos. El padre quiso acompañarme pero no lo dejé. Mi casa está sólo a dos pasos y nada podía sucederme.

—Pero te sucedió, o eso creíste.

La muchacha digirió esas últimas palabras en silencio. Luego dijo:

—¿Va a casa de la señora Lawrence?

Burden asintió, y advirtiendo que ella no podía ver el gesto, dijo escuetamente:

—Sí.

—Está desesperada. Mi padre dice que no le sorprendería que cometiese una locura.

—¿Qué clase de locura?

—Bueno, ya sabe, un suicidio. La vi después de la escuela, en el supermercado. Estaba en medio de la tienda, llorando. —Y como buena hija de la burguesía, añadió con tono reprobador—: Todo el mundo la miraba.

Burden abrió la verja del jardín de los Crantock.

—Buenas noches —dijo—. No vuelvas a salir sola cuando ya ha oscurecido.

No había luz en casa de Gemma y por una vez la puerta principal estaba cerrada. Probablemente se había acostado después de tomar uno de los somníferos del doctor Lomax. Miró por la vidriera y vislumbró una estela de luz procedente de la cocina. Eso significaba que seguía levantada. Pulsó el timbre.

Al ver que no se encendía otra luz y nadie acudía a su llamada, pulsó nuevamente el timbre y golpeó la puerta con la aldaba. De las ramas de los árboles abandonados que tenía a su espalda le llegaba el incesante goteo del agua. Recordó el comentario de Martin sobre la bebida y las palabras de la hija de los Crantock, y tras pulsar el timbre por tercera vez, rodeó la casa en busca de la entrada posterior.

El camino estaba casi tan cubierto de malas hierbas como los jardines de Saltram House. Apartó los acebos mojados y la babosa enredadera, y en el proceso se empapó de agua el pelo y la gabardina. Tenía las manos tan mojadas que apenas podía hacer girar el pomo, pero la puerta no estaba atrancada y finalmente la abrió.

La señora Lawrence estaba desplomada sobre la mesa de la cocina, con la cabeza entre los brazos extendidos, y frente a ella descansaba una botella sin abrir cuya etiqueta rezaba: «Vino tinto. Producto de España. Oferta de la semana. Siete peniques de descuento.» Burden se aproximó lentamente y posó una mano sobre su hombro.

—Gemma...

La mujer no contestó ni se movió. Burden arrastró una silla, se sentó a su lado y la rodeó dulcemente con los brazos. Ella se apoyó en él, sin oponer resistencia, respirando entrecortadamente, y Burden, presa de una felicidad abrumadora, olvidó toda la angustia de los últimos días, su batalla contra la tentación.

Podría haber permanecido toda la vida abrazado a ella, pensó, cálida y calladamente, sin pasión ni deseo ni la necesidad de un cambio.

Gemma alzó la cabeza. Tenía el rostro irreconocible, hinchado a causa del llanto.

—No ha venido —dijo—. Le esperé durante días y días pero no ha venido. —Su voz era velada, extraña—. ¿Por qué?

—No lo sé —respondió Burden. Era verdad, no lo sabía, pues ahora su resistencia se le aparecía como la culminación de una locura absurda.

—Tiene el pelo empapado. —Le acarició el cabello y las gotas de lluvia que le surcaban el rostro—. No estoy borracha —aclaró—, pero lo he estado. Ese líquido es repugnante pero alivia un poco. Esta tarde salí a comprar comida. Hace días que no pruebo bocado. Pero no compré nada. No podía. Cuando llegué al mostrador de dulces recordé el modo en que John solía suplicarme que le comprara chocolate y yo me negaba porque era malo para sus dientes. Y entonces deseé haberle comprado todo el chocolate del mundo, porque ahora ya no habría importado, ¿verdad?

La señora Lawrence miró interrogativamente a Burden. Tenía la cara bañada en lágrimas.

—No debería decir esas cosas —la reprendió el inspector.

—¿Por qué no? Está muerto. Usted sabe que está muerto. No puedo dejar de imaginar que me enfado con él y le pego y me niego a comprarle los dulces que le gustan... Oh, Mike, ¿qué debo hacer? ¿Beberme el vino y tomar todos los somníferos del doctor Lomax? ¿O salir a la calle y caminar bajo la lluvia hasta morir? ¿Qué sentido tiene vivir? Estoy completamente sola.

—Me tiene a mí —replicó Burden.

Gemma respondió aferrándose a él, pero esta vez con más fuerza.

—No se vaya. Prométame que no me dejará sola.

—Debería acostarse. —Aquello resultaba una ironía repugnante, pensó Burden. ¿Acaso no había sido ésa su intención cuando estacionó el coche a una manzana de distancia de la casa? ¿Que él y ella se acostaran? Había imaginado que esa mujer atormentada por la angustia agradecería que él le hiciera el amor. Menudo imbécil, se reprendió severamente.

—Acuéstese y entretanto le prepararé una bebida caliente —alcanzó a decir con serenidad—. Tómese la pastilla. Me quedaré con usted hasta que se haya dormido.

Ella asintió. Burden le enjugó las lágrimas con un pañuelo que Grace había planchado con el mismo esmero que Rosalind Swan planchaba las camisas de su marido.

—No me deje sola —repitió ella, y se fue arrastrando ligeramente los pies.

La cocina era un completo caos. Hacía varios días que Gemma Lawrence no fregaba ni ordenaba un solo utensilio y se percibía un olor rancio y dulzón. Burden encontró cacao y leche en polvo e hizo lo que pudo con tan insatisfactorios ingredientes. Los mezcló y calentó el preparado en un cacharro embadurnado de grasa chamuscada.

La encontró sentada en la cama, con el chal negro y dorado sobre los hombros. Había recuperado parte de ese exotismo mágico compuesto de color, originalidad y falta de inhibición. Su cara había recuperado la serenidad, sus enormes ojos volvían a brillar. El dormitorio era un completo desorden, casi caótico, pero un caos intensamente femenino. Las ropas desparramadas aquí y allá desprendían un suave aroma.

Burden extrajo un somnífero del frasco y se lo ofreció a Gemma junto con el cacao caliente. Esbozando una triste sonrisa, ella le cogió la mano, se la llevó a los labios y la estrechó con fuerza.

—Prométame que no volverá a alejarse tanto de mí.

—No valgo como sustituto, Gemma —dijo él.

—Es otra clase de amor lo que necesito —repuso ella suavemente—. Un amor que me haga olvidar.

Burden comprendía qué quería decir, pero no supo qué responder, de modo que permaneció callado, sosteniéndole la mano, hasta que finalmente la mano perdió fuerza y Gemma se hundió en los almohadones. El inspector apagó la lámpara de la mesita de noche y se tumbó junto a ella, pero encima de la colcha. Por su respiración regular supo que dormía.

La esfera luminosa de su reloj marcaba las diez y media. Parecía mucho más tarde, como si toda una vida hubiera pasado desde que había dejado a Grace para conducir hasta la casa de Gemma a través de la niebla húmeda y lluviosa. La habitación estaba fría, perfumada y fría. La mano de ella descansaba lánguidamente sobre la de Burden. El inspector retiró suavemente la mano y se deslizó hasta el borde de la cama para levantarse e irse.

Recelosa incluso en sueños, Gemma murmuró:

—No me dejes sola, Mike. —Alelada por el sopor, su voz expresaba el miedo a verse nuevamente abandonada.

—No lo haré. —Burden tomó una decisión rápida y tajante—: Me quedaré contigo toda la noche.

Tembloroso, se desvistió y se tumbó a su lado. Le resultaba bastante natural yacer como acostumbraba hacerlo con Jean, con el cuerpo acurrucado contra el de ella, el brazo izquierdo en torno a su cintura, apretando la mano que se tornaba nuevamente posesiva y exigente. Aunque sentía frío su propio cuerpo, a ella debió de parecerle cálido, porque dejó escapar un suspiro y se aferró relajadamente a él.

Burden pensó que no podría dormir o que, si lo hacía, caería inmediatamente en uno de esos sueños suyos. Pero la postura en que yacían, el uno al lado del otro, era la que siempre había adoptado en sus años felices y la que había añorado amargamente en su desdicha de los últimos tiempos. Despertaba el deseo en él, pero al mismo tiempo lo arrullaba. Mientras se preguntaba cómo podría soportar esa constante continencia, se durmió.

Comenzaba a amanecer cuando despertó para hallar el otro lado de la cama vacío pero todavía caliente. Gemma estaba sentada junto a la ventana, envuelta en su chal, con un álbum de anillas doradas abierto sobre el regazo. Burden imaginó que miraba, bajo el primer fulgor de la aurora, fotografías de su hijo, y fue presa de unos celos malévolos.

La contempló durante largo rato, casi odiando al niño que se interponía entre ellos y arrastraba a su madre con mano sutil y fantasmal. Gemma giraba las páginas pausadamente, deteniéndose a veces para mirar con ardiente pasión. Un resentimiento que Burden sabía del todo injusto le hizo desear que ella volviese la cabeza hacia él, que olvidara al niño y recordara al hombre que ansiaba ser su amante.

Gemma levantó finalmente la vista del álbum y sus miradas se encontraron. Ella guardó silencio y Burden hizo lo mismo, pues sabía que si hablaba sólo diría cosas crueles e inexcusables. Se miraron en la pálida luz grisácea de la mañana y al cabo Gemma se incorporó y corrió las cortinas. Eran de un bordado viejo y deshilachado que, no obstante, conservaba un rico color ciruela. Filtrándose a través de ellas, la luz de la habitación parecía púrpura. Gemma dejó caer el chal y permaneció de pie, envuelta en esa luz sombría, para que él pudiera contemplarla.

El cabello pelirrojo parecía ahora purpurino, pero el color apenas rozaba su cuerpo, que era de un blanco deslumbrante. Burden la contempló admirado, satisfecho por el momento de no hacer nada salvo contemplar. Esa dama de marfil, inmóvil y ahora sonriente, nada tenía que ver con la mujer lasciva de sus sueños ni con la criatura turbada y abatida a quien había consolado la noche anterior. El niño casi había desaparecido de sus pensamientos y creía que también de los de ella. Era imposible imaginar que ese cuerpo firme y hermoso hubiera dado a luz alguna vez.

Sólo le quedaba una duda.

—Que no sea por gratitud, Gemma, por compensarme.

Ella se acercó a él.

—Esa idea ni siquiera cruzó mi mente. Sería un engaño.

—¿Para olvidar entonces? ¿Es eso lo que quieres?

—¿No es el amor una forma de olvido? —dijo ella—. ¿No es siempre una hermosa huida del... odio?

—No lo sé. —Burden extendió los brazos—. Ni me importa. —Jadeando ante el contacto de ella, a un lado la esbeltez, al otro la hinchazón de la carne, dijo entrecortadamente—: Te haré daño, no podré evitarlo. Hace tanto tiempo.

—Para mí también. Será como la primera vez. Oh, Mike, bésame, hazme feliz. Hazme feliz por un rato.

12

—¿Alguna mala noticia? —preguntó el doctor Crocker—. Me refiero al chico Lawrence.

—¿A qué viene esa pregunta? —replicó Wexford, contemplando malhumoradamente la pila de papeles que tenía sobre el escritorio.

—¿Entonces no hay nada? Estaba seguro de que algo sucedía cuando vi a Mike abandonar en coche Chiltern Avenue a las siete y media de esta mañana. —El doctor Crocker exhaló sobre una de las ventanas de Wexford y se dispuso a trazar uno de sus consabidos dibujos. Con aire pensativo, añadió—: Me pregunto qué hacía allí.

—¿Por qué me lo preguntas? No soy su guardián. —Wexford contempló irritado al médico y el dibujo que había hecho de un páncreas humano—. Si a eso vamos, también podría preguntarte qué hacías tú allí.

—Fui a ver a un paciente. Los médicos siempre tenemos una excusa.

—Los policías también —replicó Wexford.

—Dudo que Mike estuviera atendiendo a un tipo que acababa de sufrir una apoplejía. Es el peor caso que he visto desde la vez que me llamaron para ayudar a aquel pobre vejete que se desplomó en la plataforma de la estación de Stowerton. Ocurrió el febrero pasado. ¿Te he hablado de ello? El tipo había estado allí de vacaciones y cuando llegó a la estación se dio cuenta de que se había dejado una maleta en el lugar donde se alojaba. Regresó a buscarla, se puso algo nervioso y al rato...

—¿Y a mí qué demonios me cuentas? —bramó Wexford—. Se supone que los problemas de tus pacientes son confidenciales. Si sigues así, seré yo quien sufra una apoplejía.

—Es justamente esa posibilidad la que ha inspirado mi breve relato —repuso dulcemente Crocker, y marcó los islotes de Langerhans con el dedo meñique—. ¿Quieres otra receta para tus pastillas?

—No, gracias, todavía me queda un montón.

—Pues no debería ser así —lo reprendió Crocker, señalándolo con el dedo húmedo—. Significa que no las tomas con regularidad.

—Sal de aquí ahora mismo. ¿No tienes nada mejor que hacer aparte de ensuciar mis ventanas con tus asquerosos estudios anatómicos?

—Ya me voy. —El doctor salió con paso danzarín y se detuvo en el umbral de la puerta para obsequiarlo con un guiño que Wexford calificó de grotesco.

—Payaso —increpó Wexford a la habitación vacía. La visita de Crocker, no obstante, había logrado inquietarlo. A fin de serenarse, procedió a leer los informes que le había enviado la policía de Londres sobre los amigos de Gemma Lawrence.

La mayoría trabajaba en profesiones relacionadas con el teatro, pero apenas le sonaban los nombres. La menor de sus hijas acababa de finalizar la carrera de arte dramático, y a través de ella oía hablar de numerosos actores y actrices cuyos nombres jamás figuraban en grandes letras ni en el *Radio Times*. Pero ninguno de esos nombres estaba en la lista, y el inspector jefe únicamente sabía lo que hacían porque junto al apellido aparecía la palabra «actor» o «director de escena adjunto» o «modelo».

Era gente itinerante, la mayoría —según la terminología oficial de Wexford— carente de domicilio fijo. Seis de ellos habían sido detenidos bien por posesión de drogas, bien por permitir bajo su techo el consumo de hachís. Dos más habían sido multados por perturbar el orden público. Por manifestarse o desnudarse en el Albert Hall, supuso Wexford. Ninguno escondía a John Lawrence. Ninguno revelaba por su pasado o sus actuales tendencias una inclinación a la violencia o gustos depravados. Leyendo entre líneas llegó a la conclusión de que esa gente, antes que desear la compañía de un niño, haría cualquier cosa por evitar tenerlos.

Sólo dos nombres de la lista le resultaban familiares. Una bailarina clásica muy famosa en otros tiempos, y un actor de televisión cuyo rostro asomaba con tal monotonía en la pantalla del televisor que Wexford se ponía enfermo sólo de verlo. Se llamaba Gregory Devaux y había sido amigo de los padres de Gemma Lawrence. La policía mostraba especial interés en ese hombre porque cinco años antes había tratado de quitar la custodia de su hijo de seis años a su esposa enajenada y sacarlo del país. El informe aseguraba que vigilarían de cerca a ese tal Gregory Devaux.

De acuerdo con el conserje del edificio Kensington, donde Leonie West poseía un apartamento, la bailarina vivía en el sur de Francia desde agosto.

Ni una sola pista. Nada que indicara algo más

que una amistad casual entre esa gente y la señora Lawrence y su hijo. Nada que sugiriera una relación entre alguno de ellos e Ivor Swan.

A las diez, Martin se presentó en el despacho con la agente Polly Davies. Wexford apenas la reconoció debido a la peluca pelirroja que lucía.

—Está usted horrible —dijo el inspector jefe—. ¿De dónde demonios ha sacado eso? ¿De un rastro?

—De Woolworth, señor —respondió Martin algo ofendido—. Siempre anda diciendo que hay que economizar.

—Daría más el pego si Polly no tuviera esos ojos negros y ese... en fin, ese aspecto tan galés. De todos modos tendrá que cubrirse la cabeza. Está lloviendo a cántaros.

El sargento Martin siempre mostraba un interés achacoso por la climatología y sus caprichos. Después de borrar el páncreas del doctor, abrió la ventana y sacó una mano.

—Creo que pronto parará, señor. Veo un rayo de sol.

—Ojalá no se equivoque —dijo Wexford—. Les ruego que disimulen su consternación lo mejor posible. He decidido acompañarlos. Estoy harto de esta vida ociosa.

Mientras recorrían el pasillo en fila de a uno, Burden, que estaba abriendo la puerta de su despacho, los detuvo. Wexford lo miró de arriba abajo con expresión severa.

—¿Qué te ocurre? ¿Te ha tocado la lotería?

Burden sonrió.

—Menos mal —prosiguió Wexford con sarcasmo— que a alguien le da por aportar un poco de alegría a esta ciudad terrorífica. ¿Qué quieres?

—Supongo que todavía no ha leído el periódico

de hoy. Publica una historia interesante en primera página.

Wexford le arrebató el periódico y leyó la historia mientras bajaba en el ascensor. Bajo el titular «Terrateniente ofrece dos mil libras. Nueva acción para cazar al asesino de Stella», leyó: «El jefe de escuadrilla Percival Swan, rico terrateniente y tío del señor Ivor Swan, padrastro de Stella Rivers, me confió ayer por la noche que ofrecía dos mil libras de recompensa por cualquier información que condujera al descubrimiento del asesino de Stella. "Es un caso diabólico", declaró mientras charlábamos en el salón de su centenaria mansión de Tunbridge Wells. "Quería mucho a Stella, aunque apenas la veía. Dos mil libras es mucho dinero, pero no representa un sacrificio excesivo si es por el bien de la justicia."»

Se decía mucho más en esa misma línea. «No me parece tan interesante», pensó Wexford mientras subía al coche.

Fiel a la predicción del sargento Martin, la lluvia cesó. Una niebla blanca y densa velaba el bosque de Cheriton.

—Si lo desea puede quitarse esa cosa —dijo Wexford a Polly Davies—. Aunque nuestro hombre aparezca, no podrá verla.

Pero nadie acudió a la cita. Ningún coche pasó por la carretera ni nadie bajó por el camino de Myfleet Ride que empalmaba con ella. Sólo la bruma se movía perezosamente, y también el agua que goteaba de las ramas de los abetos. Wexford fue a sentarse sobre un tronco mojado entre los árboles, mientras recordaba que Ivor Swan solía cabalgar por ese bosque, que lo conocía bien, que cabalgó por él el día en que había muerto su hijastra. ¿Realmente creía que Swan podía aparecer por el camino, a pie o montado en un caballo castaño, con el niño encaramado a la espalda o cogido de su mano? Una burla, una burla, una cruel quimera, se dijo una y otra vez, y cuando pasó una hora de la hora convenida, abandonó su escondite, temblando de frío, y llamó a sus compañeros con un chiflido.

Si Burden conservaba el buen humor de la mañana, por lo menos gozaría de un almuerzo en buena compañía. No vio a nadie al otro lado del mostrador del vestíbulo de la comisaría, lo cual constituía una negligencia inaudita. Enfurecido, contempló el taburete vacío sobre el que debería estar sentado el sargento Camb y a punto estaba de pulsar el timbre que nunca, en todos sus años de existencia, había sido preciso pulsar, cuando el sargento salió presuroso del ascensor con la inevitable taza de té en la mano.

—Lo siento, señor. El personal anda tan atareado con todas esas llamadas que tuve que ir yo mismo por mi taza de té. No me he ausentado ni medio minuto. Ya me conoce, señor. Me moriría sin mi té.

—La próxima vez muérase —espetó Wexford—. Recuerde, sargento, que el centinela ha de perecer antes que rendirse.

El inspector jefe fue en busca de Burden.

—El señor Burden salió a almorzar hace diez minutos —le informó Loring.

Wexford blasfemó. Deseaba ardientemente enfrascarse con Burden en una de esas diatribas mordaces pero provechosas, que fortalecían su amistad y favorecían el trabajo de ambos. Un almuerzo a solas en el Carousel resultaría deprimente. Abrió la puerta de su despacho y se detuvo en seco.

Sentado en su sillón giratorio frente al escritorio

de palisandro, con un cigarrillo entre los dedos esparciendo la ceniza sobre la moqueta de color limón, estaba Mono Matthews.

—Podrían haberme dicho que he sido destituido —dijo Wexford con frialdad—. Me huele a uno de esos tejemanejes que se fraguan tras el Telón de Acero. ¿Qué se supone que voy a hacer ahora? ¿Dirigir una central eléctrica?

Mono sonrió abiertamente, tuvo la deferencia de dejar libre la silla de Wexford, y dijo:

—Nunca imaginé que resultara tan fácil colarse en una comisaría. Llegué a pensar que el viejo Camb la había palmado y todos habían ido a su entierro. Me deslicé sin topar con una sola alma. Es mucho más fácil entrar en este antro que salir de él.

—Hoy no te será difícil abandonarlo. Puedes irte ahora mismo. Y deprisa, antes de que te denuncie por allanamiento con fines delictivos de un edificio oficial.

—Ah, pero mis fines son legales. —Mono examinó complacido la habitación—. Es la primera vez que estoy en una comisaría por motu proprio. —Una sonrisa ensoñadora iluminó su rostro, pero se vio bruscamente interrumpida por un ataque de tos.

Wexford aguardaba con cara de pocos amigos en el hueco de la puerta del despacho.

—Le aconsejo que cierre la puerta —dijo Mono cuando se hubo recuperado—. No querrá que todo el mundo se entere de nuestra conversación, ¿verdad? Poseo información sobre el caso Lawrence.

Wexford cerró la puerta, pero fue la única muestra de que la observación de Mono había despertado su interés.

—¿Tú?

—Bueno, un amigo.

—Ignoraba que tuvieras amigos, Mono, con excepción de la pobre Ruby.

—No debe juzgar a la gente tan a la ligera —replicó Mono ofendido. Tosió y apagó el cigarrillo para inmediatamente encender otro y mirar la colilla desechada con rencor, como si su repentino ahogo se debiera a un fallo de elaboración o fabricación del cigarrillo y no al tabaco que contenía—. He hecho muchos amigos a lo largo de mis viajes.

—¿Te refieres a tus estancias en la cárcel? —atacó Wexford.

Hacía mucho tiempo que Mono no se ruborizaba, pero Wexford supo por su mirada circunspecta que había puesto el dedo en la llaga.

—Mi amigo —dijo Mono— llegó ayer para pasar unas vacaciones conmigo y con Rube. Algo así como un descanso. Está algo mayor y su salud ya no es lo que era.

—Será la humedad de los patios.

—Déjelo ya, ¿quiere? Mi amigo posee interesante información sobre los antecedentes de ese tal Ivor Swan.

Wexford ocultó su asombro.

—El señor Swan no tiene antecedentes —repuso fríamente—, o por lo menos lo que tú consideras como tales.

—Escritos en papel no, desde luego. Pero no todas nuestras faltas quedan registradas, señor Wexford, ni mucho menos. He oído decir que por las calles cada vez hay más asesinos de personas que todo el mundo cree que han muerto de forma natural.

Wexford se frotó el mentón y miró pensativo a Mono.

—Tráeme a tu amigo y escucharé lo que tenga que decir. Podría ganarse unos chelines.

—Quiere una compensación.

—No lo dudo.

—Ha insistido mucho en ese punto —dijo Mono con tono familiar.

Wexford se levantó y abrió la ventana para que saliera el humo.

—Soy un hombre muy ocupado, Mono. No puedo pasarme el día jugando a las adivinanzas. ¿Cuánto?

—Quinientas —respondió sucintamente Mono.

Con voz amable aunque fría, teñida de incrédula indignación, Wexford dijo:

—Estás chiflado si crees que el gobierno va a pagar quinientas libras a un viejo presidiario por una información que puede obtener gratuitamente de los archivos policiales.

—Quinientas —repitió Mono—, y si todo sale bien, las dos mil libras de recompensa que ofrece el tío. —Tosió ligeramente. Luego, con voz dulce, añadió—: Si no le interesa, mi amigo hará una visita al comisario jefe. Se llama Griswold, ¿no es cierto?

—¡No me vengas con amenazas! —exclamó Wexford.

—¿Amenazas? ¿Quién lo amenaza? Se trata de una información en beneficio del interés público.

—Tráeme a tu amigo —replicó Wexford con firmeza— y veremos qué puedo hacer. Quizá valga un par de libras.

—Mi amigo no es como yo, jamás acudiría voluntariamente a una comisaría. Pero hoy a las seis en punto estaremos en el Pony, y me atrevo a decir que aceptaría encantado un pequeño adelanto en forma de licor.

Cuando Mono se hubo marchado Wexford se preguntó si realmente habría algo valioso en esa historia. De inmediato recordó las insinuaciones de Rivers sobre la muerte de la tía de Swan. ¿Y si Swan hubiese acelerado la partida de la vieja? Con veneno, por ejemplo. Eso encajaba en el estilo de Swan, una muerte lenta, indolente. ¿Y si ese amigo de Mono había trabajado en su casa como criado o incluso como mayordomo? Tal vez hubiese visto u oído algo, y lo hubiera mantenido en secreto durante años...

Wexford regresó a la tierra y, sonriendo, recordó uno de sus pasajes predilectos de Jane Austen: «Consultad vuestro propio entendimiento, vuestro propio sentido de lo probable, vuestra propia observación de lo que ocurre alrededor. ¿Nos prepara la educación que recibimos para semejantes atrocidades? ¿Hacen nuestras leyes la vista gorda? ¿Es posible quebrantarlas y quedar impunes en un país como éste, donde el intercambio social y literario es tan intenso, donde cada ciudadano vive rodeado de una comunidad de espías voluntarios y donde las calles y los periódicos todo lo descubren?»

Había memorizado esas líneas muchos años atrás. Le prestaban un gran servicio, y cada vez que le asaltaba la tentación de dejar volar su imaginación, se ocupaban de mantenerle los pies firmemente plantados en la tierra.

Era demasiado tarde para salir a almorzar. El personal del Carousel miraba mal a quienes acudían a comer después de la una y media. Wexford ordenó que le trajeran un emparedado del restaurante y ya había engullido la mitad cuando el informe del mechón de pelo llegó del laboratorio. El cabello, leyó Wexford, era de niño, pero no pertenecía a John Lawrence. Lo habían cotejado con las hebras obtenidas de su cepillo. Como apenas si comprendía la cuarta parte de la jerga técnica, Wexford se esforzó por discernir al menos cómo podían estar tan seguros de que el pelo del cepillo difería del pelo del mechón, y al fin hubo de conformarse con saber que sencillamente eran distintos.

Sonó el teléfono. Era Loring desde la sala donde se atendían y comprobaban todas las llamadas relacionadas con los casos Lawrence y Rivers.

—Creo que ésta le interesará, señor.

Wexford pensó enseguida en Mono Matthews, pero al instante desechó la posibilidad. Mono nunca utilizaba el teléfono.

—Grabe la llamada, Loring —ordenó el inspector jefe—. ¿Procede de una cabina?

—Me temo que no, señor. No podemos localizarla.

—Pásemela.

En cuanto escuchó la voz supo que el sujeto trataba de disfrazarla. Un par de piedras en la boca, dedujo Wexford. Pero había algo en ella, quizá el timbre, imposible de disimular. Reconocía la voz, pero no a su propietario. Tampoco podía recordar dónde lo había visto antes ni qué había dicho. Pero estaba seguro de que reconocía la voz.

—Todavía no puedo darle mi nombre —dijo—. Le envié dos cartas.

—Las he recibido. —Wexford se había levantado para atender la llamada y desde donde estaba divisó High Street y una mujer que sacaba tiernamente a su pequeño del cochecito para entrar en una tienda. Era tan inmensa su furia que podía sentir la sangre bombeando peligrosamente en su cabeza.

—Hoy ha intentado jugármela, pero mañana será distinto.

—¿Mañana? —preguntó Wexford sin alterar el tono.

155

—Mañana estaré junto a los surtidores de Saltram House a las seis en punto de la tarde, con John. Quiero que la madre venga a buscarlo sola.

—¿Desde dónde habla?

—Desde mi granja —dijo la voz, cada vez más estridente—. Tengo una granja de trescientos acres no lejos de aquí. Es una granja de pieles: visones, conejos, chinchillas y demás. John no sabe que crío animales para comerciar con su pelo. Eso lo pondría muy triste, ¿no cree?

Wexford captó el tono característico de un trastornado mental. No sabía si eso lo tranquilizaba o lo inquietaba. Estaba pensando en esa voz que ya había oído antes, esa voz fina y aguda, la voz de una persona susceptible que veía el insulto donde no lo había.

—Usted no tiene al niño —dijo Wexford—. El pelo que envió no era de John. —Llevado por el desprecio y la rabia, dejó a un lado la prudencia—. Es usted un ignorante. En la actualidad es posible identificar el cabello con la misma precisión que la sangre.

Del otro lado de la línea llegó una respiración pesada. Wexford intuyó el triunfo. Respiró hondo, preparándose para atacar con sus insultos, pero antes de poder abrir la boca la voz dijo fríamente:

—¿Cree que no lo sé? Obtuve el mechón de la cabeza de Stella Rivers.

13

El Piebald Pony no es la clase de taberna que los conocedores de la Inglaterra rural asocian con su campiña. De hecho, si uno accede al lugar desde Sparta Grove con la mirada fija en el suelo para no vislumbrar las verdes colinas circundantes, nunca imaginará que está en el campo. Sparta Grove y Charteris Road, avenida con la que forma ángulo recto y en cuya esquina se erige el Piebald Pony, semejan calles marginales de una ciudad industrial. Algunas casas tienen estrechos jardines delanteros, pero la mayor parte de las puertas abren directamente al pavimento, como es el caso de la cantina pública y el salón del Pony.

Una de las salas da a Sparta Grove y la otra a Charteris Road. De igual forma y tamaño, lo único que diferencia a la cantina del salón es que en éste las bebidas son más caras, una tercera parte de su suelo de piedra está cubierta por una alfombra marrón de Axminster y los asientos incluyen un par de maltrechos sofás tapizados en negro, como los que antaño decoraban las salas de espera de las estaciones de tren.

En uno de los sofás, bajo un cartel que anunciaba

la Costa del Sol y exhibía la fotografía de una muchacha luciendo un biquini húmedo y sonriendo impúdicamente a un toro agonizante, estaba sentado Mono Matthews con un hombre mayor. Éste, con el rostro severamente marcado por los años, parecía hallarse, en opinión de Wexford, en estado casi tan precario como el toro. No es que fuera delgado o pálido —de hecho, su cara de sapo era encarnada—, pero tenía el aire de una persona que ha ido deteriorándose con los años a causa de una mala alimentación, moradas húmedas e indulgencias repulsivas en cuya naturaleza Wexford prefería no ahondar.

Ambos sostenían una jarra de cerveza barata casi vacía y Mono estaba fumando un cigarrillo minúsculo.

—Buenas noches —saludó Wexford.

Mono, en lugar de incorporarse, se limitó a señalar a su compañero con un movimiento de la mano.

—Le presento al señor Casaubon.

Wexford dejó escapar un leve suspiro, el signo externo y audible de un grito interno y desaforado.

—Lo dudo —repuso lacónicamente—. Ahora me contarás que unos consabidos intelectuales como vosotros conocéis a George Eliot.

El señor Casaubon, lejos de responder a la descripción de Mono de hombre intimidado por la policía, se había animado nada más oír hablar a Wexford y ahora replicaba con voz pastosa:

—Yo lo vi una vez, en 1929. Lo condenaron por robar unos lingotes de oro.

—Me temo —repuso fríamente Wexford— que no hablamos del mismo hombre. ¿Qué desean beber, caballeros?

—Oporto con brandy —se apresuró a solicitar el señor Casaubon. Sin embargo Mono, para quien lo aspirable siempre primaba sobre lo meramente bebible, empujó hacia adelante el vaso de cerveza vacío y declaró que agradecería un paquete de Dunhill International.

Wexford pidió las bebidas y arrojó el paquete rojo y dorado sobre el regazo de Mono.

—Inauguraré tan solemne acto —dijo el inspector jefe— comunicándoos que ya podéis olvidaros de las quinientas libras. ¿Está claro?

El señor Casaubon encajó la noticia como alguien acostumbrado a sufrir constantes decepciones. La alegría que antes había iluminado sus ojos acuosos se desvaneció, y emitiendo un zumbido sordo que bien podía interpretarse como un bisbiseo, un asentimiento interminable o un intento de tonada, cogió su oporto con brandy.

—Cuando todo se solucione —dijo Mono— mi amigo y yo recibiremos la recompensa.

—Muy amable de tu parte —replicó Wexford con sarcasmo—. Huelga decir que el dinero sólo será desembolsado si la información conduce directamente al arresto del asesino de Stella Rivers.

—No nacimos ayer —se defendió Mono. La observación resultó tan atinada, especialmente en el caso del señor Casaubon, que parecía que hubiese nacido en 1890, que el viejo interrumpió el bisbiseo para soltar una carcajada y mostrar la dentadura más repugnante y pútrida que Wexford había visto jamás—. También nosotros leemos la prensa —prosiguió Mono—. Y ahora pongamos las cartas sobre la mesa. Si mi amigo le cuenta lo que sabe y lo demuestra con papeles, ¿se asegurará de darnos lo que es nuestro una vez que Swan esté entre rejas?

—Puedo buscar un testigo, si lo deseas. El señor Burden, por ejemplo.

Mono expulsó el humo del cigarrillo por la nariz.

—Esa bestia sarcástica me revuelve las tripas —protestó—. No, su palabra me basta. Cuando mis colegas lo critican yo siempre digo: es cierto que el señor Wexford no me deja en paz, pero...

—Mono —lo interrumpió el inspector jefe—, ¿piensas contármelo o no?

—¿Aquí? —preguntó atónito Mono—. ¿Cómo quiere que le sople una información que encerrará a un hombre de por vida, en un local que parece el mercado municipal?

—En ese caso, vamos a la comisaría.

—Al señor Casaubon le desagrada ese lugar. —Mono miró fijamente al viejo, esperando acaso alguna muestra de aversión por su parte, pero el señor Casaubon permanecía con los párpados caídos, insistiendo en su monótono murmullo—. Iremos al apartamento de Rube. Está fuera, haciendo de niñera.

Wexford aceptó con un encogimiento de hombros. Complacido, Mono propinó un codazo al señor Casaubon.

—Venga, colega, despierta que nos vamos.

El señor Casaubon necesitó largo rato para ponerse de pie. Wexford se dirigió con paso impaciente hacia la puerta, pero Mono, que no era precisamente célebre por sus atentos modales, permaneció solícito junto a su compañero y, tras ofrecerle el brazo, lo ayudó amablemente a abandonar el local.

Era la primera vez que Burden le telefoneaba. El corazón le latía con fuerza mientras escuchaba el timbre del teléfono y la imaginaba corriendo hacia el aparato, con el corazón igualmente palpitante porque intuía que era él.

La firme voz de la mujer hizo que su excitación se desvaneciese. Burden pronunció su nombre con tono suave e interrogativo.

—Soy yo —respondió Gemma—. ¿Quién habla?

—Mike. —No había reconocido su voz, pensó él, presa de una honda decepción.

En cuanto se hubo identificado, Gemma preguntó ansiosamente:

—¿Hay novedades? ¿Ha ocurrido algo?

Burden cerró los ojos por un instante. Gemma sólo podía pensar en el niño. Incluso su voz, la voz de su amante, no era para ella más que la voz de alguien que podía haber encontrado a su hijo.

—No, Gemma, no hay novedades.

—Es la primera vez que me llamas por teléfono, por eso he pensado... —explicó con voz suave.

—Anoche también fue la primera vez.

Gemma calló. Burden pensó que nunca había conocido silencio más largo, más interminable; duró lo suficiente para que veinte coches desfilaran por delante de la cabina telefónica, para que el semáforo pasara a verde y de nuevo a rojo, para que una docena de personas entraran en el Olive y dejaran la puerta bailando, bailando tras de sí hasta que se detuvo. Finalmente, ella dijo:

—Te necesito, Mike. Ven pronto.

Pero primero él debía hablar con otra mujer.

—Me espera trabajo en la calle, Grace —explicó el inspector, demasiado mojigato, demasiado inocente para ver ese doble sentido que habría provocado la carcajada de Wexford—. Estaré fuera varias horas.

Sus mujeres eran propensas a los silencios elocuentes, vibrantes. Grace rompió el que había creado con un golpe afilado y enérgico:

—No mientas, Mike. He llamado a la comisaría y me han dicho que tienes la noche libre.

—No tenías derecho a hacer tal cosa —increpó Burden—. Jean jamás obró de ese modo, y ella sí tenía derecho, era mi esposa.

—Lo siento, pero los niños me preguntaron y pensé... Además, hay algo importante de lo que quiero hablarte.

—¿No puedes esperar hasta mañana? —Burden pensó que conocía muy bien las discusiones de Grace. Siempre versaban sobre sus hijos, más exactamente sobre los problemas psicológicos de sus hijos, o lo que Grace interpretaba como tales: la mentalidad supuestamente frívola de Pat y el bloqueo mental de John para las matemáticas. Como si todos los niños no tuvieran problemas intrínsecos al crecimiento, problemas que él en su día, y sin duda Grace en el suyo, superaron satisfactoriamente sin necesidad de someterlos a un continuo análisis. Por fin, musitó—: Mañana procuraré cenar en casa.

—Siempre dices lo mismo —replicó Grace.

La conciencia apenas le remordió cinco minutos. El sentimiento había cesado mucho antes de alcanzar las inmediaciones de Stowerton. Burden ignoraba aún que la perspectiva del placer sexual era la réplica más aplastante contra la conciencia. No comprendía por qué sentía tan poca culpa, por qué el reproche de Grace sólo lo había afectado momentáneamente. Las palabras de su cuñada —o lo que podía recordar de ellas— se transformaron en la amonestación vacua y automática de un maestro de escuela pronunciada muchos años atrás. Grace ya no representaba para él más que un obstáculo, una fuerza irritante que conspiraba con otros inútiles como ella para mantenerlo alejado de Gemma.

Esa noche ella lo recibió en la puerta. Burden estaba preparado para oírla hablar de su pequeño, de sus angustias y su soledad, y dispuesto a expresar esas palabras amables y esa ternura que a buen seguro lo embargarían después de una hora en la cama con Gemma, pero que ahora el deseo convertía en tensas y bruscas. Ella no dijo nada. Él la besó tentativamente, incapaz de intuir su estado de ánimo en esos ojos enormes e inexpresivos.

Ella le tomó las manos y las puso en torno a su cintura, que él notó desnuda cuando levantó la blusa. La piel, cálida y seca, temblaba al contacto de sus manos. Burden comprendió entonces que la necesidad que ella había expresado por teléfono no era de palabras ni de aliento ni de ternura, sino la misma necesidad que él sentía.

Si el señor Casaubon hubiese sido capaz de inspirar la menor piedad, Wexford no habría podido presenciar las pródigas atenciones de Mono sin sentir lástima. Pero resultaba tan obvio que el viejo —tendría que averiguar su verdadero nombre rebuscando en los archivos— era un tunante y un parásito, que se aprovechaba de su edad y de una debilidad probablemente fingida, que Wexford no pudo por menos que reír irónicamente por lo bajo mientras Mono lo instalaba en una de las butacas de Ruby Branch y le colocaba un almohadón detrás de la cabeza. Era evidente, tanto para el receptor de tales atenciones como para el inspector jefe, que Mono no hacía otra cosa que mimar a la gallina que pronto pondría un huevo de oro. Presumiblemente, el señor Casaubon había llegado a un acuerdo económico con su socio o empresario, y sabía que tanto ajetreo de almohadones no se debía al afecto ni al respeto por la tercera edad. Ronroneando de satisfacción cual gato viejo, dejó que Mono le sirviera un whisky triple. Pero en cuanto el agua apareció, el ronroneo se transformó en gemido y una mano roja y nudosa tapó el vaso.

Mono corrió las cortinas y colocó una lámpara sobre un extremo de la repisa de la chimenea para que la luz cayera a modo de foco sobre la figura encogida del señor Casaubon. Wexford fue consciente del espectacular efecto. El protegido de Mono le recordaba a esos actores que disfrutan exhibiéndose en solitario sobre los escenarios londinenses, entreteniendo a su audiencia durante más de dos horas con monólogos o lecturas de algún escritor o diarista de renombre. El constante asentimiento y bisbiseo del señor Casaubon no hacía más que alimentar esa sensación. Wexford intuyó que la función estaba a punto de comenzar, que de esos labios morados brotaría alguna ocurrencia o que el murmullo daría paso a una conferencia sobre *Nuestro común amigo*. Sabedor, no obstante, de que todo era una ilusión deliberadamente lograda por el ingenioso timador Mono Matthews, espetó:

—Habla ya, ¿quieres?

El señor Casaubon rompió el silencio que mantenía desde que había abandonado el Piebald Pony.

—Que hable Mono. Tiene más labia que yo.

Mono sonrió, complacido por el elogio, y encendió un cigarrillo.

—El señor Casaubon y yo —comenzó— nos conocimos en el norte hace doce meses. —«En la prisión de Walton», pensó Wexford—. De modo que el otro día, cuando leyó en el periódico la historia del señor Ivor Swan y se enteró de que vivía en Kingsmarkham, se desahogó conmigo.

—Comprendo. En otras palabras, vio la oportunidad de ganarse un dinero y pensó que tú podías ayudarlo. No entiendo por qué no acudió directamente a nosotros en lugar de confabularse con un tiburón como tú. Cuestión de labia, imagino. Conociéndote, me extraña que no decidieras chantajear primero a Swan.

—Si piensa seguir insultando —dijo Mono, expulsando el humo de su cigarrillo con un bufido de indignación—, más vale que lo dejemos. Mi amigo y yo iremos a ver al señor Griswold. Le estoy haciendo un favor, para que progrese en su profesión.

El señor Casaubon asintió solemnemente y murmuró como si fuese una mosca dormitando sobre un corte de tenera. Mono, no obstante, estaba muy enfadado.

—Deja ya de farfullar, ¿quieres? —espetó con el tono generalmente reservado a la señora Branch, olvidando temporalmente el respeto obligado a la edad y a la gallina de los huevos de oro—. Empiezas a chochear. Ahora comprenderá —dijo dirigiéndose a Wexford— porqué este viejo bobo necesita mi ayuda.

—Sigue, Mono. No volveré a interrumpirte.

—El caso es que el señor Casaubon me contó, y me enseñó un papel que lo demuestra, que hace catorce años su querido Ivor Swan, y ahora agárrese fuerte, mató a una niña. Para ser más exactos, causó la muerte de una niña ahogándola en un lago. ¿Qué le parece? Sabía que la noticia le haría saltar de la silla.

En lugar de saltar, Wexford se había derrumbado.

—Lo lamento, Mono —dijo el inspector jefe—, pero eso es imposible. El señor Swan goza de una reputación intachable.

—Querrá decir que no ha pagado por su culpa.

Le digo que es cierto. La sobrina del señor Casaubon, la hija de su hermana, lo vio. Swan ahogó a la niña y fue juzgado por ello, pero el juez tuvo que absolverlo por falta de pruebas.

—En aquel entonces no tendría más de diecinueve o veinte años —murmuró Wexford—. Necesito conocer los detalles. ¿Dónde está ese papel del que tanto hablas?

—Sácalo, colega —ordenó Mono al señor Casaubon.

Tras rebuscar entre sus incontables capas de ropa, el viejo sacó de las profundidades de su abrigo de lana un sobre extremadamente sucio que contenía una hoja de papel. Lo sostuvo con ternura por un instante, para luego entregarlo a su intermediario, quien a su vez se lo pasó a Wexford.

El papel era una carta sin fecha ni dirección.

—Antes de leerla —advirtió Mono— debe saber que la joven de la que habla era camarera de ese hotel del lago. Tenía un puesto importante, muchas chicas a su cargo. No sé exactamente qué hacía, pero era la jefa.

—Hablas de ella como si fuera la *madam* de un burdel —dijo Wexford de mala manera, y atajó las protestas de Mono con un rápido—: Calla y déjame leer.

La carta había sido escrita por una persona poco instruida. Tenía faltas de ortografía y carecía prácticamente de puntuación. Mientras el señor Casaubon mascullaba con el orgullo de un hombre que muestra a un conocido la redacción premiada de algún joven familiar, Wexford leyó lo siguiente:

Querido tío Charly.

A abido un escándalo aquí que estoy segura le interesará hay un joben estudiante que vive en el hotel y que cree que a aogado a una niñita que estaba nadando en el lago por la mañana antes de que su mamá y su papá se lebantaran y lo han llevado a juicio Lyly ya te he hablado de ella tubo que ir y contar lo que sabía y me dijo que el juez se ensañó con él pero no pudo condenarlo porque nadie le vio hacerlo. El tipo se llama IVOR LIONEL FAIRFAX SWAN lo escribí cuando Lily lo dijo cuando habló con el juez pensé que le gustaría saberlo.

En fin tío nada más por aora seguiré escriviendo espero como siempre que la noticia le sirva de algo y que su pierna esté mejor. Su querida. Sobrina.

ELSIE.

La pareja observaba a Wexford con impaciencia. El inspector jefe releyó la carta —la ausencia de comas y puntos dificultaba la lectura— y se dirigió al señor Casaubon:

—¿Qué le hizo guardarla durante catorce años? Si no conocía a Swan, ¿por qué guardó esta carta?

El señor Casaubon no respondió. Sonriendo vagamente, como hace la gente cuando alguien le habla en una lengua extranjera, tendió su vaso a Mono, que enseguida se prestó a llenarlo para luego reanudar la tarea de intérprete.

—El señor Casaubon conserva todas las cartas de su sobrina —dijo—. No tiene hijos, por eso quiere tanto a Elsie.

—Comprendo —dijo Wexford, y por curioso que parezca, decía la verdad. El rostro se le encendió de rabia cuando cayó en la cuenta del negocio que se traían entre manos el señor Casaubon y su sobrina. Sin mirar la carta, recordó algunas frases significativas: «Un escándalo que le interesará... espero que la noticia le sirva de algo.» «Una camarera — pensó—, una muchacha entre nosotros tomando nota...» ¿A cuántas esposas adúlteras había pillado Elsie? ¿En cuántas habitaciones habría irrumpido accidentalmente? ¿Cuántas intrigas homosexuales habría descubierto cuando la práctica homosexual aún constituía un delito? Por no mencionar otros secretos a los que sin duda habría tenido acceso, documentos y cartas olvidados en cajones, intimidades de mujeres susurradas confidencialmente y aireadas alegremente por la noche tras una ginebra de más. Wexford estaba seguro de que la información acerca de Swan era uno más de los muchos escándalos relatados a tío Charly, a sabiendas de que éste los emplearía para exigir un dinero del que Elsie, en su momento, reclamaría su parte. Un plan inteligente, pero sólo con mirar al señor Casaubon, se adivinaba que no había funcionado.

—¿Dónde trabajaba Elsie en aquel entonces? —preguntó Wexford.

—Mi amigo no lo recuerda —respondió Mono—. Cerca del distrito de los Lagos. Se ganaba la vida de muchas maneras.

—Se ganaba la vida de una sola manera, una manera repugnante. ¿Dónde está ahora?

—En Sudáfrica —murmuró el señor Casaubon, mostrando el primer signo de nerviosismo—. Se casó con un judío rico y se fueron a vivir a El Cabo.

—Puede quedarse la carta —dijo Mono con una sonrisa congraciadora—. Imagino que tendrá que hacer algunas comprobaciones. Nosotros no somos más que un par de ignorantes, para qué ocultarlo, y no sabríamos cómo dar con ese juez. —Arrastró la silla hacia Wexford—. Lo único que queremos es el dinero por haberle puesto sobre la pista. No deseamos agradecimientos, sólo la recompensa... —La voz de Mono desfalleció y la hosca expresión de Wexford terminó de silenciarla. Mono dio una larga calada a su cigarrillo y decidió que había llegado la hora de mostrarse hospitalario con su invitado—. Tome un trago de whisky antes de irse.

—Ni lo sueñes —repuso Wexford satisfecho. Mirando de soslayo al señor Casaubon, añadió—: Cuando bebo, soy muy exigente con la compañía.

14

Éxtasis nervioso, decidió Wexford, era lo que mejor definía el estado actual del inspector Burden. Estaba abstraído, miraba ensimismado el vacío y cualquier cosa lo sobresaltaba, pero al menos constituía
un cambio con respecto a la tristeza hosca e irritable
con que todo el mundo había acabado por relacio-
narlo. Probablemente la causa del cambio fuese una
mujer, y Wexford, cuando al día siguiente coincidió
en el ascensor con su amigo y ayudante, recordó las
palabras del doctor Crocker.

—¿Cómo anda la señorita Woodville estos
días?

El inspector jefe se vio premiado, no sin cierta satisfacción, con el repentino sonrojo de Burden. Ello
confirmaba sus sospechas de que últimamente algo
ocurría entre esos dos, algo mucho más excitante que
las discusiones sobre si Pat necesitaba o no una chaqueta nueva para el trimestre siguiente.

—Precisamente ayer —prosiguió Wexford, insistiendo en el tema— mi mujer me comentaba que la
señorita Woodville había sido un valioso bastión para
ti. —Al no recibir respuesta, agregó—: Es una suerte

que ese bastión tenga, además, un rostro especialmente bonito, ¿no te parece?

Burden atravesó con la mirada a Wexford, que de repente se sintió transparente. El ascensor se detuvo.

—Estaré en mi despacho si me necesita —dijo Burden.

Wexford se encogió de hombros. «Hasta aquí hemos llegado —pensó—. Por mi parte, se acabaron los acercamientos amistosos, mojigato estirado.» Además, ¿qué le importaba a él la soporífera vida amorosa de Burden? Tenía otras preocupaciones, y a causa de ellas últimamente casi no dormía. Había pasado gran parte de la noche despierto, pensando en la carta, en Mono Matthews y en el viejo tunante de su amigo, meditando el significado de toda aquella historia.

Elsie era astuta como un lince, pero también una completa ignorante. Para una mujer como ella, todos los jueces de paz eran magistrados y seguramente desconocía la diferencia entre una audiencia y un tribunal. ¿Era posible que tantos años atrás el joven Swan hubiese comparecido ante un magistrado, acusado de asesinato u homicidio, y obtenido la absolución?

La noche es la hora para las conjeturas, los sueños y las conclusiones disparatadas. El día es la hora de la acción. El hotel estaba en algún lugar del distrito de los Lagos. Nada más entrar en el despacho, Wexford telefoneó a las comisarías de Cumberland y Westmorland. Acto seguido investigó los antecedentes del señor Casaubon, partiendo de que el hombre había coincidido en Walton con Mono, suposición que le aportó grandes frutos.

Nacido en Limehouse en 1897, su nombre era Charles Albert Catch. Satisfecho de que sus conjeturas fuesen acertadas, averiguó que Catch había cumplido tres condenas por exigir dinero con amenaza. A partir de los sesenta y cinco años, no obstante, había corrido peor suerte. La última vez fue condenado por arrojar un ladrillo contra la ventana de una comisaría, estratagema que el chantajista venido a menos, reducido a la miseria, había empleado para asegurarse una cama y un techo.

Wexford no compadecía a Charly Catch, pero se preguntaba por qué la información de su sobrina no lo había inducido a actuar contra Swan en su momento. ¿Porque verdaderamente no había pruebas? ¿Porque Swan era inocente y no tenía nada que ocultar ni de qué avergonzarse? El tiempo lo diría. Era inútil seguir especulando, era inútil poner manos a la obra mientras no recibiera noticias del distrito de los Lagos.

Con Martin y Bryant vigilando desde una distancia prudencial, el inspector jefe envió a Polly Davis y su peluca pelirroja a la cita de Saltram House. Llovía y Polly se empapó hasta los huesos, pero nadie llevó a John Lawrence al parque de Saltram House ni al jardín italiano. Decidido a no teorizar más sobre Swan, Wexford se concentró en el hombre de la llamada, pero se veía incapaz de identificarlo o recordar algo nuevo, salvo que había oído esa voz antes, en alguna parte.

Tomándola en sus brazos en medio de la penumbra, Burden dijo:

—Quiero que me digas que te hago feliz, que la vida es menos horrible porque te amo.

Quizá Gemma estuviese esbozando una de sus lánguidas sonrisas. Burden no podía verle la cara, sólo un vago resplandor. La habitación olía al perfume que ella solía usar cuando estaba casada y tenía algo de dinero. Las ropas reposaban impregnadas de esa fragancia rancia y dulzona. Burden decidió que al día siguiente le compraría un frasco de perfume.

—Gemma, sabes que esta noche no puedo quedarme. Ojalá pudiera, pero prometí...

—Lo comprendo —respondió ella—. Si fuera a reunirme con mi... mis hijos, nada me detendría. Mi querido y tierno Mike, por nada del mundo te apartaría de tus hijos.

—¿Podrás dormir?

—Me tomaré dos de los somníferos del doctor Lomax.

Un ligero escalofrío recorrió el cuerpo caliente de Burden. ¿Acaso no era el deseo satisfecho el mejor somnífero? Qué feliz le habría hecho escuchar que su acto amoroso podía hacerle conciliar un dulce sueño, que la imagen de él lograba apartarla de todos los miedos. Siempre el niño, pensó Burden, siempre ese chico que se había asegurado toda la atención y el amor de su madre. Entonces imaginó el milagro, imaginó que el niño desaparecido y muerto volvía a la vida y regresaba a casa, irrumpía en el dormitorio ahora en penumbra y se arrojaba a los brazos de su madre. Vio cómo ella olvidaba a su amante, olvidaba incluso que había existido en ese pequeño mundo que sólo tenía cabida para una mujer y un niño.

Se levantó y se vistió. Besó a Gemma de una forma que pretendía ser tierna pero que devino apasionada porque no podía contenerse. Y se vio recompensado con un beso largo e igualmente apasionado. Eso debía bastarle, eso y el fular de gasa arrugado que recogió cuando salía de la habitación.

«Ojalá no haya nadie en casa —pensó ya en el coche. Luego, con remordimiento, se dijo—: Sólo por esta noche.» Si pudiese entrar en el vacío y la soledad de su casa, libre de las amables y enérgicas exigencias de Grace y de los castillos en el aire de Pat y de las matemáticas de John... Pero si se dirigiese a una casa vacía, no estaría dirigiéndose a su casa.

Grace había dicho que quería hablar con él. La idea le resultaba tan desagradable y tediosa que se abstuvo de especular al respecto. ¿Por qué soportar la angustia por dos veces? Antes de entrar en casa apretó contra su cara la gasa perfumada, en busca de consuelo, pero en lugar de consuelo lo asaltó nuevamente el deseo.

Su hijo estaba inclinado sobre la mesa, manejando torpemente el compás.

—El viejo Cara de Menta —comenzó cuando vio a su padre— nos dijo que «matema» significa conocimiento y «patema» sufrimiento, de modo que dije que podrían llamarlo «patemáticas».

Grace soltó una carcajada algo estridente. Tenía el rostro encendido, advirtió Burden, como si estuviera excitada o agitada. Se sentó a la mesa junto a John, trazó cuidadosamente el diagrama por él y lo envió a la cama.

—Yo también me acostaré temprano —le dijo esperanzado.

—Concédeme diez minutos, Mike —intervino Grace—. Quiero... quiero decirte algo. He recibido carta de una amiga, una mujer que estudió conmigo. —Parecía sumamente nerviosa, algo impropio de ella, lo cual provocó en Burden un ligero desasosiego. Tenía la carta en la mano y fue a mostrársela cuando cambió de idea y aferró el papel contra su pecho—. Ha heredado un dinero y quiere poner una clínica... —Las siguientes palabras brotaron atropelladamente—: Me ha pedido que la ayude en el proyecto.

—Oh, estupendo —fue la respuesta aburrida de Burden, hasta que finalmente cayó en la cuenta de lo que Grace estaba diciéndole. El golpe fue demasiado duro para reaccionar de manera educada o prudente—. ¿Y los niños?

Grace no respondió enseguida. Se derrumbó pesadamente en la silla, como una mujer vieja y cansada.

—¿Cuánto tiempo esperabas que me quedara?

—No lo sé —repuso Burden, haciendo un gesto de impotencia con las manos—. Hasta que fueran capaces de cuidar de sí mismos, imagino.

—¿Y cuándo calculas que será eso? —Grace estaba ahora furiosa, enfadada, nerviosa de indignación—. ¿Cuando Pat tenga diecisiete o dieciocho años? Para entonces yo tendré cuarenta.

—No se es viejo a los cuarenta —repuso débilmente su cuñado.

—Quizá no lo sea una mujer con una profesión, con una vocación a la que siempre se ha dedicado. Si me quedo aquí otros seis años, como mucho podría aspirar a un puesto de enfermera en un hospital rural.

—Pero los niños... —insistió Burden.

—Envíalos a un internado —replicó duramente Grace—. Físicamente estarían tan bien atendidos como aquí. En cuanto a los demás aspectos, ¿qué bien puedo hacerles yo sola? Pat alcanzará pronto la edad de rebelarse contra su madre o la sustituta de su madre. John nunca ha mostrado especial interés por mí. Si te disgusta la idea de un internado, pide el traslado a Eastbourne. Allí podríais vivir con mamá.

—No me esperaba este golpe.

Grace estaba a punto de romper a llorar.

—Recibí la carta de Mary ayer. Quise hablar contigo, te supliqué que te quedaras en casa.

—Cielo santo, Grace, creía que te gustaba esto. Pensaba que querías a los niños.

—¡Mentira! —replicó ella furiosamente, y su rostro se convirtió súbitamente en el rostro colérico e indignado de Jean durante una de sus raras peleas—. Jamás pensaste en mí. Me pediste que te echara una mano, y cuando vine me convertiste en una especie de madre doméstica mientras tú adoptabas el papel de inspector orgulloso que se digna a visitar a los pobres huérfanos un par de días a la semana.

Burden no tenía intención de replicar. Sabía que era cierto.

—Haz lo que desees hacer.

—Eso no es lo que deseo hacer, es lo que me has obligado a hacer. ¡Oh, Mike, las cosas podrían haber sido tan diferentes! ¿No lo entiendes? Si hubieras permanecido a nuestro lado, me habrías hecho sentir que estábamos construyendo algo que valía la pena, juntos. Incluso ahora, si tú... Me cuesta mucho decirte esto, Mike... Si pensara que todavía estamos a tiempo de... Mike, ¿por qué no me ayudas?

Volviéndose hacia él, Grace le ofreció las manos, no de forma impulsiva ni amorosa como Gemma, sino con una especie de modesta timidez, como si se avergonzara. Burden recordó lo que Wexford le había dicho esa mañana en el ascensor y retrocedió. La sensación de que era Jean quien lo miraba, quien le rogaba, quien estaba a punto de decir cosas que para su mentalidad anticuada ninguna mujer debería decir a un hombre, sólo empeoraba las cosas.

—¡No, no, no! —musitó Burden.

Jamás había visto a una mujer enrojecer tan vehementemente. La cara de Grace se tornó carmesí para luego apagarse hasta quedar blanca como la nieve. Se levantó y echó a correr precipitadamente, abandonando la elegancia precisa y controlada que la caracterizaba. Cerró la puerta tras de sí sin decir palabra.

Burden durmió mal. Trescientas noches no habían bastado para enseñarle a dormir solo y dos noches de éxtasis le devolvían salvajemente toda la soledad de una cama vacía. Como si fuese un adolescente inmaduro, apretó contra su cara el fular de la mujer que amaba para aspirar su aroma. Permaneció así tumbado durante horas, escuchando a través de la pared el llanto ahogado de la mujer que había rechazado.

15

El mechón de pelo tampoco pertenecía a Stella Rivers. A diferencia del resto de su cuerpo, aún quedaban suficientes rizos rubios para cotejarlo. «Un brazalete de fulgurante cabello en torno al hueso», pensó Wexford con un escalofrío.

Eso, desde luego, no demostraba nada. Sencillamente era de imaginar, ya se sabía que el «peletero» —así llamaba Wexford ahora al hombre de las cartas y las llamadas— era un embustero. Sólo le quedaba esperar noticias del distrito de los Lagos, pero su humor se agriaba por momentos. Hacía un par de días que Burden estaba insoportable, apenas respondía cuando se le hablaba y nunca estaba cuando más se lo necesitaba. Para colmo, seguía lloviendo. El personal de la comisaría estaba irritable y los agentes, deprimidos a causa del mal tiempo, se mordían los unos a los otros igual que perros rabiosos. El suelo blanco y negro del vestíbulo aparecía constantemente cubierto de huellas de barro y gotas de los impermeables empapados.

Al pasar con paso enérgico por delante del mostrador para evitar un encuentro con Harry Wild,

Wexford casi se dio de narices con la cara encarnada del sargento Martin, que estaba esperando el ascensor.

—No sé adónde iremos a parar, señor. Ese joven, Peach, que parece incapaz de matar una mosca, se puso como una fiera porque le dije que necesitaba unas botas más resistentes. Tuvo el valor de increparme que me metiera en mis asuntos. ¿Qué está ocurriendo, señor? ¿Qué he hecho?

—Acaba de resolver algo por mí —dijo Wexford, y recuperando la calma, porque eso no era más que el principio de una investigación y no una resolución, prosiguió—: La noche que se efectuó la búsqueda de John Lawrence usted comentó a uno de los hombres que necesitaba unos zapatos más gruesos. Parece una obsesión suya. El hombre le dijo que se metiera en sus asuntos. ¿Lo recuerda?

—Francamente no, señor.

—También yo hablé con él. Intentó acariciar a los perros. —Pelo, pensó Wexford, pelo y conejos. Intentó acariciar al pastor alemán, como si su mano sintiera una atracción irresistible hacia la piel espesa y suave del animal—. No recuerdo su cara, pero sí recuerdo esa voz. ¡Esa voz! Sargento, el hombre con quien habló, el hombre que intentó acariciar a los perros, es el mismo que escribió los anónimos.

—Sigo sin recordar a ese hombre, señor.

—No importa. No será difícil dar con él.

Pero sí lo fue.

Wexford visitó primero al señor Crantock, el marido de la vecina de Gemma Lawrence, que era jefe de caja de la sucursal del Lloyd's Bank de Kingsmarkham. Por fuerza, ese hombre tenía que conocer, ya fuera de vista o de nombre, a todos los miembros de los pelotones de búsqueda. Wexford se desanimó cuando supo que no todos los miembros provenían de las tres calles: Fontaine Road, Wincanton Road y Chiltern Avenue.

—Se apuntaron muchos tipos a los que nunca antes había visto —explicó Crantock—. Quién sabe de dónde procedían o cómo en tan poco tiempo se enteraron de que el niño había desaparecido. Pero toda ayuda era bienvenida, ¿no es cierto? Recuerdo que un hombre llegó en bicicleta.

—Las noticias de esta clase vuelan —dijo Wexford—. Cómo lo hacen es un misterio, pero la gente se entera de las cosas antes de que aparezcan en la televisión, la radio o los periódicos.

—Hable con el doctor Lomax. Dirigió un pelotón hasta que lo llamaron para una emergencia. Los médicos siempre conocen a todo el mundo, ¿no cree?

El proveedor de somníferos de Gemma Lawrence tenía la consulta en su propia casa, un edificio victoriano cuyas dimensiones superaban en mucho las de sus vecinos de Chiltern Avenue. Wexford llegó en el momento en que el doctor terminaba la consulta de la tarde.

Lomax era un hombrecillo nervioso, de voz chillona, pero sin llegar a la estridencia que Wexford estaba buscando, y además su acento era vagamente escocés. Al parecer, tampoco él iba a resultarle de gran ayuda.

—Señor Crantock, señor Rushworth, señor Dean... —y enumeró una larga lista de nombres al tiempo que los contaba con los dedos, acto al que Wexford no vio utilidad alguna pues en ningún momento se había calculado la composición de los pelotones. No obstante, cuando llegó al final de la lista, Lomax se mostró convencido de que había tres extraños, entre ellos el ciclista.

—Cómo se enteraron de la noticia es algo que no entiendo —dijo, coincidiendo con la opinión de Crantock—. Yo me enteré porque mi mujer me lo contó mientras atendía la consulta. Es mi enfermera, ¿comprende?, y oyó hablar a alguien en la calle mientras ayudaba a una paciente anciana a bajar del coche. Entró directamente en mi despacho y me lo contó. Cuando la última paciente se marchó, salí para ver en qué podía ayudar y vi los coches de policía.

—¿A qué hora fue eso?

—¿A qué hora mi esposa me contó lo sucedido o a qué hora salí a la calle? Salí a eso de las seis, pero mi mujer me informó del hecho a las cinco y veinte. Lo sé porque la anciana que ayudó a bajar del coche siempre llega los jueves a las cinco y veinte. ¿Por qué?

—¿Estaba solo cuando su mujer se lo dijo?

—No, claro que no. Estaba con una paciente.

El interés de Wexford aumentó.

—¿Le susurró la noticia al oído o la comentó en voz alta, de modo que la paciente pudiera oírla?

—La comentó en voz alta —respondió Lomax poniéndose rígido—. ¿Qué hay de malo en ello? Ya le he dicho que es mi enfermera.

—¿Supongo que recordará a la paciente?

—Supone usted mucho. Tengo montones de pacientes. —Lomax reflexionó por un instante—. No era la señora Ross, la anciana, porque todavía se hallaba en la sala de espera. Debió de ser la señora Foster, o la señorita Garrett. Mi esposa lo sabrá. Tiene mejor memoria que yo.

El doctor llamó a su mujer.

—Era la señora Foster. Tiene cuatro hijos y recuerdo que la noticia le impresionó sobremanera.

—Pero su marido no intervino en la búsqueda —dijo Lomax, que parecía seguir en la misma línea de razonamiento que Wexford—. No conozco al señor Foster, no es paciente mío. La señora Foster acababa de contarme que su marido se había fracturado el dedo pulgar de un pie.

Salvo para decir con voz queda y desazonada: «Naturalmente, me quedaré hasta que encuentres una solución», Grace apenas se dirigía a Burden desde el día en que le comunicó sus planes. En la mesa —el único momento que estaban juntos— mantenían una conversación educada por los niños. Burden pasaba sus noches con Gemma.

Sólo a ella le había contado que Grace pensaba dejarlo, y no comprendió cuando sus enormes ojos tristes se iluminaron y declaró cuán afortunado era de tener los niños para él solo, sin nadie que se interpusiera o tratara de compartir su amor. Entonces estalló en uno de sus terribles llantos, golpeando los muebles viejos y empolvados con las manos, sollozando hasta que los ojos estuvieron hinchados y medio entornados.

Después dejó que él le hiciera el amor, aunque en realidad no puede decirse que lo «dejara». Cuando estaban en la cama, ella parecía olvidar temporalmente su condición de madre afligida y se transformaba en una muchacha joven y sensual. Él sabía que para ella el sexo era una forma de olvidar, una terapia —ésas fueron sus palabras—, pero se decía que una mujer no podía mostrar tanta pasión si realmente su implicación era sólo física. Siempre había creído que las mujeres no estaban hechas de ese modo. Y cuando ella le dijo con tono suave y casi tímido que lo amaba, experimentó una felicidad sin límites y todo el peso de sus cuidados le pareció una nimiedad.

Se le había ocurrido una idea fantástica. Pensó que había encontrado la solución a las penas de ambos. Ella deseaba un hijo y ser una madre para los hijos de él. ¿Por qué no se casaba con ella? Podría darle otro hijo, pensó orgulloso de su virilidad, de la potencia que a Gemma le proporcionaba tanto placer. Quizá ya estuviese embarazada, al fin y al cabo él no había hecho nada para evitarlo. ¿Y ella? Tenía miedo de preguntárselo, de mencionar el tema tan pronto. Se volvió hacia ella, fortalecido y excitado por sus fantasías, ansioso de poseerla. En ese mismo instante podían estar haciendo un niño. Burden deseó que así fuera, porque en ese caso Gemma tendría que casarse con él...

Los Foster vivían en una casita adosada en una hilera de doce viviendas de Sparta Grove, a un tiro de piedra del Piebald Pony.

—No expliqué a nadie lo del muchacho —aseguró la señora Foster—, salvo a mi marido. Lo encontré estirado en una tumbona, descansando su pobre dedo, y enseguida le conté la buena noticia.

—¿La buena noticia?

—¡Oh, cielo santo, qué va usted a pensar de mí! No me refiero a lo del niñito. Sí lo mencioné, pero sólo de pasada. No, corrí a contarle lo que el doctor me había dicho. Pobre hombre, se subía por las paredes, y yo también. Me refiero a mi marido, no al doctor. Creíamos que había otro en camino, que habíamos vuelto a meter la pata. Tenemos cuatro hijos, ¿comprende? Pero el doctor dijo que era el comienzo del cambio. ¡No se imagina qué alivio! Di de merendar a los niños y luego mi marido me llevó al Pony para celebrarlo. Le mencioné lo del pobre niño en la taberna. A la gente le gusta hablar, ¿no cree?, sobre todo cuando está contenta. Pero eran más de las siete cuando llegamos al Pony, de eso estoy segura.

Lo que parecía una pista prometedora no era otra cosa que un callejón sin salida.

Aún había luz y Sparta Grove hervía de niños que jugaban en la calzada. Se diría que nadie los vigilaba. Nadie asomaba por detrás de las cortinas para echar un vistazo a ese niño angelical de rizos dorados o a aquella niña de piel oscura y ojos color endrina que montaba su bicicleta. Pero seguro que sus madres los observaban, vigilantes.

El Pony estaba abriendo y tan cierto como que la tierra es redonda, Mono Matthews, tirando de Charly Catch, alias señor Casaubon, apareció por Charteris Road. Wexford huyó antes de que lo reconocieran.

Encontrar a los tres extraños que habían colaborado en la búsqueda constituía la principal misión del día, sobre todo después de la carta escrita con mayúsculas que aguardaba a Wexford sobre el escritorio. Decía lo de siempre, y Wexford apenas le prestó atención, pues sobre el escritorio también le aguardaba un informe recopilado y firmado por el inspector Daneforth, de la comisaría de Westmorland.

Después de dar órdenes estrictas de que nadie lo molestara, Wexford leyó:

El 5 de agosto de 1957 fue rescatado del lago Fieldenwater el cadáver de Bridget Melinda Scott, de 11 años. La autopsia determinó que la niña había perecido ahogada y el 9 de agosto el juez de instrucción de Mid-Westmorland, el doctor Augustine Forbes, celebró una encuesta judicial.

Una encuesta. ¡Claro! ¿Cómo no se le había ocurrido antes? Elsie llamaba juicio a una encuesta, y al juez de instrucción, juez a secas. Algo desalentado, Wexford prosiguió:

En la encuesta declararon:

1) Lilian Potts, camarera empleada en el hotel Lakeside, donde Bridget Scott se hospedaba con sus padres, el señor y la señora Scott. La señorita Potts declaró al juez de instrucción que coincidió con Bridget en uno de los pasillos del primer piso del hotel a las ocho de la mañana del 5 de agosto. Bridget le dijo que iba a nadar al lago. Vestía un traje de baño y un albornoz e iba sola. La señorita Potts le aconsejó que no se alejara de la orilla. Bridget no contestó y la señorita Potts la observó bajar por las escaleras.

2) Ralph Edward Scott, de profesión fontanero, 28 Barrington Gardens, Colchester, Essex. El señor Scott afirmó ser el padre de Bridget Scott. Él, su esposa y su hija estaban pasando dos semanas de vacaciones en el hotel Lakeside de Fieldenwater. El 5 de agosto ya llevaban diez días alojados en el hotel. Bridget era una nadadora entusiasta y cada día acudía a nadar al lago antes del desayuno. El 5 de agosto, antes de que él y su mujer se levantaran, Bridget entró en la habitación para comunicarles que se iba a nadar. El padre le dijo que no se alejara de la orilla. No volvió a verla con vida.

3) Ada Margaret Patten, viuda, 72 años, 4

Blenheim Cottages, Water Street, Fieldenwater Village. Declaró que a las ocho y cuarto de la mañana estaba paseando al perro, como era su costumbre, por la orilla norte del Fieldenwater, la opuesta al hotel. Oyó gritos de auxilio y advirtió que había una bañista en apuros. La señora Patten, que no podía nadar, vio a dos bañistas en el extremo este del lago y a un hombre que estaba pescando en una barca de remos a poca distancia de la nadadora que pedía auxilio. Cuando el juez de instrucción le preguntó qué entendía por poca distancia, la señora Patten respondió que unos veinte metros. La señora Patten llevaba bastón y lo agitó en dirección a la barca. También intentó atraer la atención de los dos bañistas que nadaban en el lado este del lago. Finalmente, éstos la oyeron y empezaron a nadar en dirección norte. Los gritos de la señora Patten, sin embargo, no parecían afectar al hombre de la barca. Al cabo vio que la embarcación avanzaba hacia la nadadora, pero cuando llegó ésta ya había desaparecido. A la señora Patten le extrañó que el pescador no oyese sus gritos dada la facilidad con que el sonido corre sobre el agua. Ella había ido en barca muchas veces y sabía que en el centro del lago los sonidos procedentes de la orilla eran perfectamente audibles.

4) George Baleham, agricultor, 7 Bulmer Way, New Estate, Fieldenwater Village. El señor Baleham declaró que ese 5 de agosto él y su hermano fueron a nadar al lago a las siete y media de la mañana. Vio a una niña zambullirse en el agua desde el hotel Lakeside hacia las ocho y diez. Cinco minutos más tarde escuchó gritos que llegaban de esa dirección y también oyó gritar a la

señora Patten. Sin perder tiempo, él y su hermano comenzaron a nadar hacia la niña, que se encontraba a unos doscientos metros de ellos. Cerca de la nadadora había un hombre pescando en una barca. El señor Baleham le gritó: «Hay una niña en apuros. Está más cerca de ella que nosotros», pero la barca no se movió. El señor Baleham aseguró que el pescador no comenzó a avanzar hasta que él se halló a diez metros de la embarcación. Para entonces la niña había desaparecido. En su opinión, el hombre de la barca habría podido llegar fácilmente hasta la niña antes de que ésta se ahogara. Desde donde estaba resultaba imposible que no viese a la muchacha ni oyera sus gritos.

5) Ivor Lionel Fairfax Swan...

Ahí estaba lo que tanto había esperado. El nombre escrito con letra de imprenta le provocó un escalofrío. Wexford se sentía como un hombre que lleva meses acechando a un ciervo y de repente, avanzando a tientas entre los arbustos y la maleza de un coto inhóspito, divisa su presa fría y confiada, cerca, ¡oh, tan cerca!, sobre un risco. Pausada y sigilosamente, alza la escopeta...

5) Ivor Lionel Fairfax Swan, estudiante, 19 años, Carien Hall, Carien Magna, Bedfordshire, y Christ's College, Oxford. El señor Swan dijo que estaba de vacaciones en el hotel Lakeside con dos amigos. Bridget Scott le habló alguna vez en el salón del hotel y en la playa del lago. Aparte de eso, no la conocía y nunca habló con sus padres. Le gustaba pescar y a veces alquilaba una barca para salir al lago a primera hora de la mañana.

El 5 de agosto salió en barca a las siete. Estaba solo en el lago. Hacia las ocho menos veinte vio a dos hombres nadar en la ribera este. Poco después de las ocho, Bridget Scott bajó por las escaleras del hotel y se zambulló en el agua. El señor Swan ignoraba su nivel como nadadora. Sabía muy poco de ella.

Bridget le gritó algo pero él no respondió. No quería que se acercara y le espantara los peces. Instantes después la muchacha volvió a gritarle y tampoco esta vez le prestó atención. La semana anterior la niña había intentado varias veces llamar su atención y pensó que era mejor no seguirle la corriente. Oyó gritar a la señora Patten, pero creyó que llamaba a su perro.

Poco después dos nadadores lo alertaron y de repente comprendió que Bridget estaba realmente en apuros. Retiró rápidamente el sedal y comenzó a remar hacia el lugar donde había visto a la muchacha por última vez. Pero para entonces ya no estaba.

En respuesta a las preguntas del juez de instrucción, el señor Swan dijo que no se le ocurrió tirarse al agua y nadar. El sedal era muy caro y no quería estropearlo. No sabía bucear y tampoco era buen nadador. En ningún momento pensó que la muchacha estuviera realmente en apuros hasta que se hundió. No, no podía decir que le disgustara la niña. Apenas la conocía. Cierto que no le agradaban sus acercamientos. Lamentaba su muerte y le dolía no haber hecho nada por salvarla. Sin embargo, dadas las circunstancias, no dudaba de que actuó como habría hecho cualquier hombre en su situación.

6) Bernard Varney Frensham, 19 años, es-

tudiante, 16 Paisley Court, Londres, S.W. 7 y Christ's College, Oxford. El señor Frensham dijo que era amigo del señor Swan y estaba de vacaciones con él y su prometida (del señor Frensham) en el hotel Lakeside. Bridget Scott enseguida se sintió atraída por el señor Swan, fue algo así como un «flechazo», y tendía a importunarle. Aseguró que nunca había ido en barca por el lago Fieldenwater. No le gustaba pescar. Cuando el juez de instrucción le preguntó si el señor Swan era buen nadador, el señor Frensham dijo: «¿Debo responder a esa pregunta?» El doctor Forbes insistió y el señor Frensham contestó que desconocía el nivel del señor Swan como nadador. Nunca nadó con su universidad. Tras insistirle, el señor Frensham dijo que en una ocasión le mostraron un título de socorrista a nombre del señor Swan.

Luego venía una nota que explicaba que las pruebas médicas y policiales habían sido suprimidas. El informe concluía así:

El juez de instrucción elogió la pronta actuación de los señores George Baleham y Arthur Baleham para intentar salvar a la niña.

Después reprendió al señor Swan. Dijo que era el peor caso con el que se había cruzado de crueldad hacia una niña que resultaba obvio que se estaba ahogando. Calificó de mentiras deliberadas y cobardes las declaraciones del señor Swan. Lejos de ser un nadador mediocre, era un experto en socorrismo. Para él no había duda de que el señor Swan se había negado a escuchar a la niña porque creyó, o eso dijo, que sólo quería molestarlo. Si se hubiese arrojado al agua la primera vez que la oyó gritar, Bridget Scott estaría ahora viva. La juventud del señor Swan no constituía una excusa, pues era hombre inteligente, estudiante de Oxford y miembro de una familia privilegiada. El juez de instrucción manifestó su pesar por el hecho de que la ley no le permitiera tomar medidas severas. Acto seguido, expresó su condolencia al señor y la señora Scott.

El veredicto fue muerte accidental.

16

Cuando Wexford ofreció a Burden un resumen de la vida de Swan, destacó la serie de desastres que el hombre había dejado tras de sí. Se trataba de una muestra más de esa naturaleza catastrófica, de ese talento o propensión a dejar huellas de angustia, dolor y perturbación a su paso. En opinión de Wexford, Swan era un catalizador que poseía el don de hacer daño sin proponérselo.

Resultaba fácil imaginar aquella mañana en el lago, la sombra del sedal de Swan, el sol reflejado en el agua plácida, parda, Swan entregado a una de sus ensoñaciones que nada ni nadie debían perturbar. ¿Había pescado algo aquel día? ¿Alguna vez hizo realmente algo? ¿Cazar un conejo? ¿Elegir un cachorro? ¿Comprar un pony?

Y ése era el quid de la cuestión. Estaba claro que Swan había dejado morir a una niña. Pero la palabra clave era «dejar». ¿Podía en realidad forzar la muerte de una niña? ¿Poseía el nervio, el impulso, la energía necesarios?

A Wexford le habría gustado ahondar en el caso con Burden. Resultaban muy reveladoras y fructíferas esas largas conversaciones suyas en que examinaban el móvil y analizaban el carácter del personaje. Pero Burden ya no era apto para participar en tales discusiones. En la actualidad, podía esperar de él la misma perspicacia e inteligencia que Martin. Empeoraba por momentos, cada día se mostraba un poco más irritable y distraído, y Wexford, angustiado, comenzaba a preguntarse cuánto tiempo podía seguir así. Por el momento conseguía cubrirlo, hacía su trabajo, le allanaba el camino. Pero todo tenía un límite, pronto estallaría la crisis, ese detalle que no debió pasarse por alto o la escena histérica en público. ¿Y después? ¿El azoramiento de solicitar a Burden su dimisión antes de que lo obligaran a marcharse?

Wexford apartó de su mente tan tristes reflexiones para concentrarse en el informe. Un misterio, cuando menos, estaba aclarado. Ya no necesitaba preguntarse por qué Swan había mostrado semejante animadversión por la encuesta, concretamente una encuesta sobre otra niña muerta.

El siguiente paso a seguir era encontrar a Frensham, y eso sí resultó fácil. En catorce años había pasado de estudiante a corredor de bolsa, había dejado a sus padres, aunque seguía viviendo en Kensington, y permanecía soltero. ¿Qué había sido de la prometida con quien había pasado aquellas vacaciones a orillas del lago?

No debía preocuparse por ese aspecto, se dijo Wexford. Habló, como era obligado, con la policía metropolitana y se dispuso a salir para Londres. En el vestíbulo tropezó con Burden.

—¿Alguna pista sobre los hombres del pelotón de búsqueda que aún no han sido identificados?

Burden lo miró con expresión de preocupación y musitó:

—El asunto está en manos de Martin, ¿no?

Wexford se adentró en la lluvia sin mirar atrás.

Se apeó en la estación de metro de Gloucester Road, se perdió y tuvo que preguntar a un policía cómo llegar hasta Veronica Grove. Finalmente la encontró; era una calle pequeña y estrecha flanqueada de árboles que discurría desde Stanhope Gardens hasta Queen's Gate. De las ramas caían pequeñas gotas de agua y si no hubiese sido porque los árboles eran plátanos en lugar de robles, Wexford se habría sentido como en casa. Los arrabales del Piebald Pony respondían más a su idea de Londres.

Rumiando sobre tales anomalías, en pocos minutos se halló frente a la puerta de Bernard Frensham. La casa, pequeña y con jardineras limpias pero desnudas, resultaba sumamente modesta si uno ignoraba que semejantes inmuebles se vendían por veinticinco mil libras.

Un criado menudo, ágil y moreno, lo condujo hasta la única sala de estar de la casa. Se trataba, con todo, de una estancia espaciosa dividida en tres niveles. El mobiliario, más que un conjunto homogéneo, ofrecía texturas diversas, ceras lustrosas, suaves terciopelos, delicadas filigranas y porcelanas relucientes. Era evidente que allí se había invertido mucho dinero. Se diría que los años desperdiciados por Swan habían sido muy provechosos para su amigo.

Frensham, que se levantó de la butaca situada al fondo de la sala cuando Wexford entró, había recibido previo aviso de la visita del inspector jefe. «Aviso», y no «anuncio», parecía la palabra adecuada, pues era obvio que el hombre había estado bebiendo. ¿Acaso le inquietaba la entrevista? Wexford no pudo por menos que creer que así era. Un corredor de bolsa no podía gozar del éxito de Frensham si cada día le daban las siete de la tarde en semejante estado de embriaguez.

Y no porque se le notara. En realidad, no fue más que el aliento a brandy y la extraña mirada lo que indujo a Wexford a sospechar de su estado.

Tenía poco más de treinta años y aparentaba cuarenta, con el pelo negro en vías de extinción y el rostro salpicado de manchas oscuras. Por contra, Swan, de su misma edad, parecía mucho más joven. El ocio y la tranquilidad preservan la juventud; el trabajo duro y la angustia aceleran el envejecimiento.

Frensham lucía un elegante traje de color marengo con un ligero brillo cobrizo, una corbata en tonos negros y cobrizos, y un anillo con un ópalo en el dedo meñique de la mano izquierda. Qué imagen de civilizada distinción habría dado el hombre, pensó Wexford, si no hubiese sido por ese aliento a brandy que tiraba de espaldas.

—Permítame que le sirva una copa, inspector jefe.

Wexford quiso rechazar la invitación, de hecho estaba a punto de hacerlo, pero había tal urgencia contenida en su posterior «Se lo ruego», que acabó por aceptar.

Frensham abrió la puerta y gritó un nombre que sonó a algo así como «Jaysus». El criado apareció con el brandy y otras botellas. En cuanto se hubo marchado, Frensham dijo:

—Extraños los españoles, ¿no le parece? —Con una risita desconcertante, añadió—: Mire que llamar a un niño Jesús. Me parece de lo más impropio. Sus padres, según él, se llaman María y José.

Bebió de su copa y siguió hablando del tema.

Wexford, no obstante, estaba decidido a no permitir que la nomenclatura ibérica lo desviara de su propósito. Era obvio que Frensham trataba de aplazar la entrevista todo lo posible.

—¿Le importa que hablemos del señor Ivor Swan?

Frensham abandonó bruscamente el tema de los nombres españoles y dijo con voz áspera:

—Hace años que no le veo, desde que abandonamos Oxford.

—Eso no importa. Yo sí le he visto. Imagino que sólo guarda un vago recuerdo de él.

—Lo recuerdo perfectamente —dijo Frensham—. Nunca podré olvidarlo. —Se levantó y cruzó la estancia. Wexford creyó en un principio que estaba buscando alguna fotografía o documento, pero pronto se percató de que Frensham era presa de una fuerte emoción. De espaldas al inspector jefe, permaneció inmóvil por un rato. Wexford lo observaba desde la butaca. No era hombre que se dejara impresionar fácilmente, pero tampoco estaba preparado para las posteriores palabras de Frensham. Girando súbitamente sobre sus talones, el hombre miró de manera extraña a Wexford y preguntó:

—¿Tiene hojas de parra en el pelo?

—¿Cómo dice?

—¿No ha visto ni leído *Hedda Gabler*? No importa. Es algo que siempre pregunto cuando se habla de Ivor. —El hombre estaba muy ebrio, con esa intoxicación que suelta la lengua. Regresó a su asiento y, sin sentarse, apoyó los codos en el respaldo—. Ivor era muy apuesto, un Antínoo de tez dorada. Sentía un gran cariño por él. No, no es cierto. Lo amaba, lo amaba con toda mi alma. Era un ser ocioso y tranquilo. Nunca sabía qué hora era y carecía de la noción del tiempo. —Fresham hablaba como si hubiese olvidado la presencia o el cargo de Wexford. Cogió su copa de brandy—. Esa indiferencia al tiempo, esa sublime ociosidad, resulta muy atractiva. Muchas veces pienso que fue esa cualidad, más que el celo religioso, lo que hizo que Cristo elogiara a María y censurara a Marta, la hacendosa trabajadora.

Wexford no estaba ahí para que le hablasen del carácter de Ivor Swan, que ya creía conocer, pero no deseaba interrumpir el discurso de Frensham más de lo que un espiritista estaría dispuesto a atajar la efusión de un médium en trance. En cierto modo temía, como el espiritista, que fuera peligroso.

—Tenía mucho éxito con las chicas —continuó Frensham—. Algunas eran hermosas y todas ellas inteligentes. Estoy hablando, naturalmente, de las muchachas de Oxford. Se acostaba con algunas pero jamás salía con ellas, ni siquiera a tomar una copa. No deseaba que lo molestaran. Siempre decía que las mujeres inteligentes le disgustaban porque trataban de hacerle hablar.

»Una vez le describí la clase de mujer con que se casaría. Una cabeza de chorlito que lo adoraría y colmaría de atenciones a cambio, únicamente, de su presencia. No sería él quien se casaría con ella sino ella con él; ella, contra todo pronóstico, conseguiría llevarlo al altar. Supe por la prensa que está casado. ¿Es ella así?

—Sí —respondió Wexford—. Exactamente así.

Frensham se derrumbó en la butaca. Parecía destrozado, como si lo asaltaran recuerdos dolorosos. Wexford se preguntó si él y Swan habían llegado a ser amantes, pero desechó la idea. Seguramente Frensham había estado dispuesto a ello, pero Swan no habría permitido que se lo «molestase».

—Yo, en cambio, sigo soltero —dijo Frensham—. Estaba prometido a una chica, Adelaide Turner, pero la cosa no funcionó. Recuerdo que Ivor no quería que ella nos acompañara de vacaciones, y yo en realidad tampoco, no en aquel entonces. Dijo que sería un estorbo. —Llenó su copa y añadió—: Me temo que no puedo dejar de beber. Bebo poco, pero una vez que empiezo no puedo parar. Prometo no ponerme en ridículo.

Algunos opinarían que ya lo había hecho, pero Wexford fue más tolerante. Sintió lástima por Frensham, y más aún cuando dijo:

—No creo estar ofreciéndole una imagen real del carácter de Ivor. Aunque hace doce años que no lo veo, sueño a menudo con él, hasta tres veces por semana. Le parecerá ridículo. Nunca se lo he contado a nadie. Si lo menciono ahora es porque ya no distingo entre el Ivor real y el Ivor creado por mis sueños. Ambas imágenes son tan confusas que han acabado por fundirse en una sola.

—Hábleme de las vacaciones —dijo Wexford con tono afable—. Hábleme de Bridget Scott.

—Sólo tenía once años —comenzó Frensham. Su voz sonaba más juiciosa y serena cuando no hablaba de Swan—. Pero parecía mucho mayor, como de catorce. Resulta absurdo decir que se enamoró de él a primera vista, pero así fue. Y claro, a esa edad aún no sabía cómo ocultar sus sentimientos. Siempre estaba atosigando a Ivor para que fuese a nadar con ella, para que se sentara a su lado en el salón. Un día, Bridget llegó hasta el extremo de preguntar a su madre, en nuestra presencia, si Ivor podía subir a su

habitación para darle las buenas noches una vez que
se hubiese acostado.

—¿Y cómo llevaba Swan el asunto?

—Simplemente no hacía caso. A Adelaide le dispensaba igual trato, pero por lo menos respondía cuando ella le hablaba. A Bridget, no obstante, apenas le dirigía la palabra. Decía que era un estorbo y recuerdo que una vez incluso se lo dijo. —Frensham echó el cuerpo hacia atrás y exhaló un hondo suspiro. Cerró los ojos momentáneamente y luego los abrió con gran esfuerzo—. El juez de instrucción —continuó— era un viejo buitre. Yo no quería traicionar a Ivor. Me obligaron a hablar de su forma de nadar, no tuve elección. —Sus pesados párpados cayeron de nuevo—. Me sentí como un Judas.

—¿Qué ocurrió la mañana en que Bridget se ahogó?

Frensham mantenía los ojos cerrados y ahora las palabras comenzaban a espesarse.

—Nunca fui a pescar con Ivor. No soy madrugador como él. Sería lógico pensar que un hombre como Ivor... gusta de acostarse tarde y levantarse tarde. Ivor solía estar de pie a las seis. Naturalmente, luego echaba sus cabezadas durante el día. Era capaz de dormir en cualquier sitio. Pero adoraba la luz del alba, el campo, su paz. —Frensham hizo un ruidito extraño, semejante a un sollozo—. Solía citar la famosa frase de W. H. Davies: «¿Qué clase de vida es ésta, llena de inquietudes, si no tenemos tiempo de detenernos a mirar?»

—Siga explicándome qué ocurrió aquella mañana.

Frensham se inclinó, apoyó los codos en las rodillas y el mentón sobre las manos.

—No lo sé, no estaba allí. Me despertaron unos

gritos en el pasillo y gente que corría de un lado a otro. Salí de la habitación y vi a la madre de la niña gritando y al pobre viejo, Scott.

—¿Viejo? ¿El padre de Bridget?

—Bueno, no tan viejo, tendría sesenta años. La madre era más joven. Tenían hijos mayores, según me contaron. ¿Importa eso? Encontré a Ivor en el comedor bebiendo café. Estaba muy pálido. «Yo no he hecho nada», dijo. «¿Por qué se empeñan en implicarme?», y no volvió a pronunciar una palabra al respecto.

—¿Quiere decir que no volvió a mencionar el tema de Bridget Scott? ¿Ni siquiera cuando tuvieron que asistir a la encuesta?

—Estaba disgustado porque tuvimos que quedarnos más días de lo previsto —recordó Frensham, y sus ojos brillaron. ¿Cansancio? ¿Lágrimas? ¿O simplemente el efecto del alcohol?—. Después... después del juicio no permitió que sacase el tema a colación. Ignoro qué sentía él en aquellos momentos. —Muy suavemente ahora, Frensham agregó—: Quizá indiferencia, o congoja, o tal vez todo lo que deseaba era olvidar. Los periódicos dieron poca importancia al suceso y cuando regresamos a Londres nadie sabía nada... Hasta que Adelaide habló.

—¿Por qué cree que la dejó ahogarse? —preguntó Wexford.

—Constituía un estorbo —respondió Frensham, y comenzó a sollozar débilmente—. Cuando alguien lo irritaba o empezaba... a aburrirle... sencillamente... sencillamente... —Cada palabra iba sucedida de un sollozo—. Sencillamente ignoraba a la persona, hacía ver que no existía... no le hablaba... no la veía... del mismo modo que hizo conmigo poco después... —Agitó una mano y la copa de brandy se volcó, derramando el contenido sobre la gruesa alfombra de tonos pálidos.

Wexford abrió la puerta.

—Jesús —vociferó—, o como se llame. El señor lo necesita. Será mejor que lo acuestes.

El hombre entró en la sala, servil y sonriente. Colocó los brazos bajo las axilas de su señor y le susurró algo. Frensham alzó la cabeza y con voz clara y nítida dijo:

—Hojas de parra en el pelo. —Luego cerró los ojos y perdió el sentido.

17

La edición del *Kingsmarkham Courier* del viernes publicaba en primera página un anuncio de dos columnas requiriendo la comparecencia de los tres hombres del pelotón de búsqueda que aún no habían sido identificados. «Muy útil», pensó Wexford mientras lo leía. ¿No se le había ocurrido a Martin, cuando habló con Harry Wild, que la publicación de semejante llamamiento sólo atraería a los inocentes? Y ¿dónde demonios se encontraba Burden a todo eso? Burden, que debía dirigir el lugar en su ausencia y que, no obstante, se mostró tan sorprendido como él por el anuncio.

A su regreso de Londres había telefoneado a casa de Burden. Necesitaba comentar la entrevista con alguien y pensó, además, que ésa sería una forma de reavivar el interés de su amigo. Pero Grace Woodville dijo que su cuñado no estaba y que ignoraba su paradero.

—Probablemente estará sentado en el coche, en algún lugar, pensando amargamente en Jean y... y en todo.

—Sabe que debe dejar un número de teléfono donde poder localizarlo.

—El bosque de Cheriton no tiene teléfono —replicó Grace.

El sábado por la tarde, dos hombres entraron en la comisaría de Kingsmarkham diciendo que habían leído el *Courier* y creían ser dos de los sujetos no identificados. Eran hermanos, Thomas y William Thetford, y vivían en casas contiguas en Bury Lane, una calle medio suburbial, medio rural, situada a las afueras de Stowerton, no lejos de Sparta Grove. Se enteraron de la noticia de la desaparición de John Lawrence por la esposa de William, que trabajaba de sirvienta para la señora Dean y que había llegado a casa a las cinco y media. Los hermanos Thetford trabajaban en turnos rotativos y aquella tarde la tenían libre. Seguros de que se organizaría un pelotón de búsqueda —deseosos de un poco de emoción que les alegrara el día, pensó Wexford— subieron al coche de William y fueron a Fontaine Road.

Ninguno de ellos poseía una voz chillona o siquiera una voz que Wexford recordara haber oído antes. Aseguraron que sólo habían comentado la noticia entre ellos. Wexford decidió que el trabajo de rutina exigía una entrevista con la señora Thetford. El lunes habría tiempo para ello.

—¿Jugamos al golf mañana? —preguntó el doctor Crocker, irrumpiendo en el despacho cuando los Thetford se hubieron marchado.

—No puedo. Debo ir a Colchester.

—¿Para qué? —inquirió Crocker de mal humor, y sin esperar respuesta, añadió—: Quería hablar contigo acerca de Mike.

—No lo hagas, por favor. Prefiero que le hables a él directamente, eres su médico.

—Creo que ha encontrado mejor médico que yo

—repuso maliciosamente Crocker—. Ayer por la noche volví a ver su coche.

—Déjame adivinar... En el bosque de Cheriton. Burden estaba dentro, meditando.

—Ni una cosa ni la otra. Estaba aparcado al final de Chiltern Avenue. Era medianoche.

—Al parecer eres omnipresente —gruño Wexford—. Como el Espíritu Santo.

—Al final de Chiltern Avenue, cerca de Fontaine Road, a medianoche. Venga, Reg. Sabía que eras hombre de pocas luces —agregó el doctor al tiempo que se daba una palmadita en la cabeza—, pero no hasta ese extremo.

—Es imposible —respondió Wexford con sequedad—. Quiero decir... —titubeó— ... que Mike no... No quiero hablar del tema. —Miró furiosamente a Crocker y abandonando su lógica habitual, añadió—: Si yo no estoy enterado, quiere decir que no está ocurriendo.

—Sé que parece un sueño —dijo Gemma—, pero si... si recuperara a John, vendería esta casa, aunque sólo me dieran por ella el valor del terreno, y regresaría a Londres. Podría vivir en una sola habitación, no me importa. Odio este lugar. Odio estar aquí y odio salir a la calle y que todo el mundo me mire.

—Hablas como una criatura —replicó Burden—. ¿Por qué hablas de algo que sabes que no va ocurrir? Te he pedido que te cases conmigo.

Gemma se levantó sin responder y comenzó a vestirse, pero no con las ropas que llevaba cuando habían entrado en el dormitorio. Él la contempló anhelante pero confuso, porque cada faceta de su conducta lo desconcertaba. Gemma acababa de ponerse por la cabeza un vestido negro largo y muy ceñido. Burden no alcanzaba a distinguir si era una antigualla de su tía o la última moda. En los tiempos que corrían era imposible saberlo. Gemma se rodeó los hombros y la cintura con un largo fular bordado en naranja, azul y verde, tan rígido y recargado que crujía mientras lo manipulaba.

—A John y a mí nos gustaba disfrazarnos —dijo Gemma— y representar personajes de *El libro mágico*. Podría haber sido un gran actor. —En ese momento estaba adornándose con toda clase de joyas. Largos collares de cuentas le colgaban del cuello y envolvían sus brazos—. Suele ocurrir cuando uno de los progenitores, o ambos, son artistas de segunda fila. El padre de Mozart era un músico desconocido. —Tenuemente iluminada por la luz rojiza, se balanceó con los brazos extendidos. Sobrecargando sus finas manos, lucía un anillo en cada dedo. Sacudió la melena y ésta ondeó como una ardiente cascada que la luz absorbió, del modo que lo hacía con todas las piedras incrustadas en sus anillos de bisutería, y bañó en destellos.

Burden estaba deslumbrado, fascinado y consternado a la vez. Gemma danzó por toda la habitación sosteniendo el fular en lo alto de la cabeza. Las joyas tintineaban como diminutas campanas. De pronto se detuvo, soltó una carcajada breve y sonora y corrió hacia él para arrodillarse a sus pies.

—«Bailaré para ti, Tetrarch» —declaró—. «Sólo aguardo a que mis esclavos me traigan perfumes, y los siete velos, y me quiten las sandalias.»

Wexford habría reconocido las palabras de Salomé. Para Burden no eran más que otra muestra de la excentricidad de Gemma. Angustiado y avergonzado, exclamó:

—¡Oh, Gemma...!

Con el mismo tono de voz, ella dijo:

—Me casaré contigo si... si mi vida ha de continuar así, vacía, me casaré contigo.

—Deja de actuar.

—No estaba actuando.

—Preferiría que te quitaras todo eso.

—Quítamelo tú.

Burden se estremeció ante la mirada fija de sus enormes ojos. Extendió las manos y alzó el manojo de collares, sin hablar, sin apenas respirar. Ella levantó el brazo derecho, curvándolo suavemente, y lo mantuvo en lo alto. Muy lentamente, Burden arrastró los brazaletes por su muñeca y los dejó caer al suelo, luego retiró uno a uno los anillos. Ni por un instante dejaron de mirarse. Burden pensó que jamás en su vida había hecho algo tan excitante, tan abrumadoramente erótico, como despojar a una mujer de su bisutería barata, aunque al hacerlo no había rozado su piel una sola vez.

Nunca... Ni siquiera se había imaginado capaz de una cosa así. Gemma extendió el brazo izquierdo y él no intentó acercamiento alguno hasta que el último anillo se hubo sumado a la pila de alhajas que descansaba en el suelo.

No fue plenamente consciente de lo ocurrido hasta que despertó en medio de la noche. Había propuesto en matrimonio y había sido aceptado. Se dijo que tenía que sentirse exultante, en el séptimo cielo, pues había conseguido lo que deseaba y ya no habría más congoja ni lucha ni soledad ni días de lenta agonía.

La habitación estaba totalmente a oscuras, pero sabía perfectamente lo que las primeras luces revelarían en ese piso y en el de abajo. La noche anterior el desorden, el caos, apenas habían importado, pero ahora era muy distinto. Burden trató de imaginarla como ama de casa en su propio hogar, cuidando de sus hijos y cocinando, atendiéndolos como lo hacía Grace, pero no tenía imaginación suficiente para evocar semejante imagen. ¿Qué ocurriría si Wexford se presentaba una noche en casa para charlar o tomar una copa, como hacía algunas veces, y Gemma aparecía con su extraño vestido y su chal y sus largos collares de cuentas? ¿Acaso esperaba ella que él recibiera en casa a sus amigos, esos actores de segunda fila itinerantes y drogadictos? Y sus hijos, ¡su Pat...!

Pero cuando se casaran todo sería diferente, pensó Burden. Ella sentaría la cabeza y se convertiría en una buena ama de casa. Quizá podría persuadirla de que renunciara a la melena, ese cabello tan hermoso y provocativo, pero tan impropio de la mujer de un policía. Tendrían un hijo, ella haría nuevos amigos más convenientes, cambiaría...

No se permitió ahondar en la sospecha de que tales cambios destruirían la personalidad de su amada y deslustrarían el exotismo que lo había atraído en un principio, pero la idea flotaba en los márgenes de su mente. Burden la espantó casi con irritación. ¿Por qué buscar problemas donde no los había? ¿Por qué esa manía de buscar defectos a la felicidad perfecta?

Gemma y él tendrían amor, cada noche sería una orgía de a dos, una luna de miel interminable. Se volvió hacia ella y apretó los labios contra la masa de pelo que tenía previsto arrebatarle. A los pocos minutos estaba dormido, soñando que encontraba al chico, que se lo entregaba y que ella, agradecida, se convertía en todo lo que él quería que fuese.

—¿Kingsmarkham? —preguntó la señora Scott, sonriendo apaciblemente a Wexford—. Naturalmente que conocemos Kingsmarkham, ¿verdad, querido? —El marido, de rostro inexpresivo, asintió levemente con la cabeza—. Tenemos una sobrina que vive en una casita encantadora, construida en el siglo XVIII, cerca de Kingsmarkham. Solíamos visitarla durante nuestras vacaciones, pero ahora...

Wexford, que mientras la mujer hablaba había estado haciendo inventario de la sala y contemplando con interés las fotografías enmarcadas de los hijos del matrimonio que seguían vivos, ahora ya maduros y con hijos adolescentes, observó al señor Scott.

No hacía falta preguntarse por qué no iban a regresar a Kingsmarkham o suponer el motivo por el que no volverían a hacer vacaciones. Scott, un hombrecillo de poco menos de ochenta años, tenía la cara tremendamente torcida, sobre todo a la altura de la boca. De las orejas de su sillón pendían dos bastones. Wexford dedujo que no podía caminar sin ayuda de los mismos y, a juzgar por su silencio, comenzaba a sospechar que Ralph Scott también había perdido la capacidad de habla. Por eso se sobresaltó cuando la boca deforme se abrió y una voz áspera dijo:

—¿Qué tal una taza de té, Ena?

—Estará listo en un abrir y cerrar de ojos, cariño.

La señora Scott se levantó y con un gesto imperceptible de los labios indicó a Wexford que se reuniera con ella en la cocina, una estancia aséptica llena de chismes, lo bastante moderna para satisfacer el amor propio de cualquier ama de casa orgullosa. La señora Scott, no obstante, creía que necesitaba una disculpa.

—El señor Scott sufrió una apoplejía el invierno pasado —explicó mientras enchufaba el hervidor de agua eléctrico— y ha dado un bajón tremendo. No es el mismo de antes, por eso nos trasladamos a las afueras de Colchester. Pero si fuera el hombre de antes, lo tendríamos todo automático, él mismo lo habría hecho, no habría dejado nada en manos de los constructores. Debería haber visto nuestra casa del pueblo. La calefacción calentaba tanto que teníamos las ventanas abiertas día y noche. El señor Scott la instaló sin ayuda de nadie. Naturalmente, lo sabe todo sobre calefacciones, tuberías y esas cosas, es su profesión. —La mujer se interrumpió y contempló el hervidor, que comenzaba a silbar. Con voz que parecía a punto de quebrarse, agregó—: Leímos en el periódico lo de la hija de ese Swan y la investigación que están llevando a cabo. El señor Scott se sintió muy impresionado al leer el nombre.

—La niña murió el invierno pasado.

—En aquel entonces el señor Scott no leía el periódico. Estaba demasiado enfermo. No sabíamos que Swan vivía cerca de nuestra sobrina. De haberlo sabido, no habríamos ido a visitarla. En fin, ese hombre vivía allí la última vez que fuimos, pero lo ignorábamos. —Se sentó en un banco y suspiró—. El señor Scott ha vivido atormentado todos estos años por la pérdida de la pobre Bridget. Creo que habría muerto si se hubiera encontrado cara a cara con ese Swan.

—Señora Scott, siento tener que preguntárselo, pero en su opinión ¿cree que Swan permitió que su hija se ahogara? ¿Cree que él sabía que estaba ahogándose y dejó que ocurriera?

La mujer no contestó. El dolor cruzó su rostro, se posó en los ojos y pereció. El hervidor silbó por última vez y se desconectó solo.

La señora Scott se levantó y procedió a preparar

el té. Estaba bastante tranquila, pesarosa pero con una tristeza agotada, marchita. Los dedos que sostenían el asa del hervidor, la mano apoyada en la tetera, eran bastante firmes. En una ocasión fue embestida por un gran dolor, el único dolor, según Aristóteles, insoportable, pero ella lo había soportado, seguía preparando té, seguía regocijándose por la calefacción. Así sería algún día para la señora Lawrence, rumió Wexford. Aristóteles no lo sabía todo, no sabía que el tiempo cura las heridas, convierte las penas en polvo y sólo deja una leve melancolía intermitente.

—El señor Scott la adoraba —dijo finalmente la madre de Bridget—. Para mí era diferente, tenía a mis otros hijos. Ya sabe lo que una hija pequeña representa para un padre.

Wexford asintió mientras pensaba en su Sheila, la niña de sus ojos.

—Yo nunca lo acepté como él. Las mujeres somos más fuertes, siempre lo digo, acabamos aceptando las cosas. Pero yo lo llevé muy mal. Era mi única niña, ¿comprende?, y la tuve muy tarde. En realidad no queríamos más hijos, pero el señor Scott se moría por una niña. —Parecía como si tratara de recordar las emociones del momento en lugar de los hechos, sin conseguirlo—. Fue un error ir a aquel hotel. Las casas de huéspedes estaban más a nuestra altura. Pero al señor Scott le iban muy bien las cosas y preferí no discutir cuando dijo que él era tan bueno como cualquier otro y que por qué no un hotel si podíamos permitírnoslo. Le aseguro que me sentí muy incómoda cuando vi la clase de gente con la que teníamos que tratar. Estudiantes de Oxford, un abogado y un «sir». Naturalmente Bridget no era consciente de la diferencia, para ella eran personas como nosotros y se encaprichó con ese Swan. No sabe la cantidad de veces que he deseado que nunca hubiera puesto los ojos en él.

»Un día, en el salón del hotel, mi hija comenzó a rondar a ese hombre (intenté detenerla, pero sin éxito) y él, sin mediar palabra, le propinó un empujón. Mi hija cayó al suelo y se hizo daño en un brazo. El señor Scott se acercó a él y le dijo que era un engreído y que su hija era tan buena o mejor que él. Nunca olvidaré lo que ese hombre dijo: «Me trae sin cuidado de quien sea hija», dijo, «me trae sin cuidado que su padre sea duque o basurero. No quiero que se acerque a mí. Me estorba.» Pero eso no detuvo a Bridget. No dejaba en paz a ese hombre. A veces pienso que mi hija nadó hasta la barca para poder estar a solas con él. —La señora Scott cogió la bandeja, pero no hizo ademán de regresar a la sala. Aguzó el oído y luego prosiguió—: No podía nadar muy lejos. Le advertimos una y otra vez que no se alejara de la orilla. Swan lo sabía, nos había oído decírselo. Dejó que se ahogara sencillamente porque le traía sin cuidado, y si eso es matar, él la mató. Sólo era una niña. No hay duda de que él la mató.

—Es una acusación muy grave, señora Scott.

—No más que las palabras del propio juez. Cuando leí en el periódico lo ocurrido a la hijita de ese hombre, no sentí lástima por él ni pensé que había recibido su merecido. Ha hecho lo mismo con ella, eso fue lo que pensé.

—Las circunstancias eran muy diferentes —señaló Wexford—. Stella Rivers murió asfixiada.

—Lo sé. Lo leí. No digo que lo hiciera deliberadamente, del mismo modo que tampoco digo que ahogara a Bridget con sus manos. Creo que esa niña también representaba un estorbo para él... y es lógico, teniendo en cuenta que sólo era su hijastra y él acababa de casarse. Quizá ella dijo algo que le disgustó, o tal vez lo adoraba demasiado, como Bridget, de modo que él la cogió, le apretó el cuello y... y ella murió. Es hora de volver a la sala.

El hombre estaba en la misma postura en que lo habían dejado, con los ojos casi ciegos mirando el vacío. La señora Scott colocó una taza de té en sus manos y removió el azúcar.

—Toma, cariño. Siento haber tardado tanto. ¿Comerás un poco de tarta si te la corto en trocitos menudos?

El señor Scott no respondió. Estaba concentrado en Wexford y el inspector jefe comprendió entonces que nadie le había explicado el motivo de su visita. Cierto que habían hecho referencia a Kingsmarkham y su sobrina, pero Wexford no había sido presentado ni por su nombre ni por su cargo.

Quizá fuese la mirada de su esposa o tal vez algo que había oído mientras estaban en la cocina lo que de repente le llevó a preguntar con tono monótono:

—¿Es usted policía?

Wexford vaciló. Scott era un hombre enfermo. Probablemente su único contacto real con la policía se había producido con ocasión de la muerte de su amada hija. ¿Era aconsejable o comprensible o incluso necesario devolver el recuerdo a ese cerebro agotado y confuso?

No había tomado una decisión cuando la señora Scott dijo brillantemente:

—¿De dónde has sacado esa idea? Este caballero es amigo de Eileen. Vive cerca de Kingsmarkham.

La mano del anciano tembló y la taza traqueteó sobre el plato.

—No volveremos allí, y menos en mi estado. No duraré mucho.

—¡Qué cosas dices! —exclamó la señora Scott con una rudeza que no conseguía disimular su angustia—. Ya queda poco para que seas el mismo de antes. —Articuló unas palabras ininteligibles a Wexford y elevando el tono de voz prosiguió—: Debería haberlo visto el pasado marzo, dos semanas después del ataque de apoplejía. Estaba más muerto que vivo, peor que un recién nacido. Y sin embargo, mírelo ahora.

Pero Wexford no podía mirar. Cuando salió de la casa, pensó que la entrevista no había sido del todo infructuosa. Por lo menos, a partir de ese momento tomaría las pastillas del doctor Crocker con renovado entusiasmo.

18

La impresión que Swan había producido en otra gente alteró sutilmente la imagen que Wexford tenía de él, confiriéndole una frialdad cruel y una belleza magnética, dándole el aspecto de un dios en apariencia y poder, de modo que cuando volvió a encontrarse con él cara a cara experimentó una especie de decepción y un ligero sobresalto. Pues Swan era sólo Swan, el mismo joven ocioso y atractivo de existencia lenta y despreocupada. Resultaba extraño que la mera mención de su nombre pudiese bastar para matar al señor Scott y que, a manera de íncubo, viviese una vida aparte como el fantasma de los sueños de Frensham.

—¿Es necesario que Ros se entere? —preguntó Swan, y observando la sorpresa de Wexford, prosiguió—: Casi lo había olvidado, hasta que esa encuesta lo desenterró de nuevo. ¿Realmente tenemos que hablar de ello?

—Me temo que sí.

Swan se encogió de hombros.

—Nadie nos molestará. Ros ha salido y me he deshecho de Gudrun. —Advirtiendo el absurdo efecto de sus palabras en el semblante de Wexford, Swan soltó una carcajada irónica—. Le dije que se fuera, la despedí. ¿Qué creía que había hecho con ella? ¿Eliminarla? A sus ojos mi vida está sembrada de cadáveres, ¿no es cierto? A Ros y a mí nos gusta estar solos y Gudrun era un estorbo, eso es todo.

Otra vez la frase. «Era un estorbo...» Wexford estaba empezando a sentir escalofríos cada vez que la oía.

—¿Le apetece beber algo? Tendrá que ser de botella. El té y el café son competencia de Ros y, además, no sé dónde guarda las cosas.

—No quiero beber nada. Quiero que me hable de Bridget Scott.

—Cielo santo, hace tanto tiempo de eso. Imagino que ya dispone de una extensa gama de testimonios parciales. —Swan tomó asiento y descansó el mentón entre las manos—. ¿Qué quiere que le cuente? Fui a ese hotel con un hombre y una mujer. Si me concede un minuto trataré de recordar sus nombres.

—Bernard Frensham y Adelaide Turner. —Pobre Frensham, pensó Wexford. Swan seguía vivo en sus sueños pero él no tenía lugar en la memoria de Swan.

—Si ya ha hablado con ellos, ¿por qué me pregunta?

—Quiero escuchar su versión.

—¿De lo que ocurrió en el lago? De acuerdo, dejé que la niña se ahogara, pero no sabía que estaba ahogándose —explicó Swan con semblante malhumorado. Bajo la luz de noviembre, vaga e intermitente, podía pasar por un muchacho de diecinueve años, pero Wexford no veía hojas de parra en su pelo—. Era una pesada —prosiguió, con mirada cada vez más hosca—. Siempre estaba rondándome. Quería que nadáramos y paseáramos juntos y montaba escenas para atraer mi atención.

—¿Qué clase de escenas?

—Un día en que salí a nadar apareció en una barca de remos y empezó a gritar que se le había caído la bolsa por la borda. Me pidió que la buscara, pero me negué. No obstante... ¿cómo se llamaba...? Frensham, eso es, se sumergió y cuando ya llevábamos diez minutos con el jaleo de la bolsa, la niña la sacó del fondo de la barca. Todo había sido un engaño. Una tarde, a la hora de la siesta, irrumpió en mi habitación y dijo que si no hablaba con ella empezaría a gritar y cuando la gente acudiera diría que yo le había hecho cosas. ¡Sólo tenía once años!

—De modo que cuando la oyó pedir auxilio pensó que era otra de sus estratagemas para atraer su atención.

—Por supuesto. Aquella vez en que me amenazó con gritar le dije que lo hiciera. No me dejo intimidar tan fácilmente. Luego en la barca, *sabía* que la muchacha estaba fingiendo. Cuando me dijeron que se había ahogado no podía creerlo.

—¿Lo lamentó?

—Estaba algo desconcertado, impresionado, pero no fue culpa mía. Después de aquello, no soportaba tener a niños de esa edad alrededor de mí. Y ahora, en realidad, tampoco.

¿Se había dado cuenta de lo que acababa de decir?

—Stella tenía esa misma edad cuando se conocieron, señor Swan —puntualizó Wexford.

Pero Swan no pareció captar la indirecta. Siguió hablando, sólo para empeorar más las cosas.

—Stella, de hecho, recurría a los mismos trucos para atraer mi atención. —La hosquedad nubló nuevamente su rostro, casi afeándolo—. ¿Podía tener un perro? ¿Podía tener un caballo? Siempre trataba de involucrarme. —Dirigió a Wexford una mirada de furiosa aversión y añadió—: A veces pienso que el mundo entero intenta interponerse entre yo y lo que quiero.

—¿Que es...?

—Que me dejen solo con Rosalind —dijo sencillamente Swan—. No quiero niños. Todo este asunto me ha hecho aborrecerlos. Quiero vivir en el campo con Ros, los dos solos, en paz. Es la única persona que conozco que me quiere por lo que soy. No se ha creado una imagen de mí a la que debo dar vida, no trata de engatusarme ni de animarme a ser de otro modo. Me ama, me conoce muy bien y soy lo primero en su vida, el centro de su universo. En cuanto me vio, ya nada le importó, ni siquiera Stella. La teníamos con nosotros porque yo insistí. Le dije a Ros que si no lo hacíamos con el tiempo podría lamentarlo. Además, Ros es una mujer celosa. No a todos los hombres les gusta eso, pero a mí sí. Cuando Ros asegura que si yo mirara a otra mujer no se detendría hasta hacerle todo el mal de que es capaz, experimento una maravillosa sensación de felicidad y seguridad. No se hace una idea de lo que eso significa para mí.

Wexford se preguntó qué significaría para él. No dijo nada pero mantuvo la mirada fija en Swan, quien de pronto enrojeció.

—Hacía años que no hablaba tanto con alguien —dijo—, salvo con Ros. Ya está aquí. No le dirá nada sobre... ¿verdad? Si llegara a sospechar de mí, no sé lo que haría.

Lo que Swan había oído era el sonido de la furgoneta Ford en el camino de gravilla de Hall Farm.

—Tenía entendido que no podía conducir, señora Swan —dijo Wexford cuando ella entró.

—¿De veras? Mi permiso caducó cuando vivía en el Este, pero pasé un nuevo examen el mes pasado.

Había estado de compras. Sin duda en Londres o en algún lugar más sofisticado que Kingsmarkham. Los paquetes estaban envueltos en papel negro con letras blancas, rojas y doradas. Pero no había estado comprando para ella.

—Te he comprado una corbata, cariño. Mira la etiqueta. —Swan obedeció, y también Wexford. La etiqueta rezaba «Jacques Fath»—. Y cigarrillos rusos y un libro y... No parece mucho ahora que lo tengo en casa. ¡Oh, cómo me gustaría que fuéramos ricos!

—¿Para gastártelo todo en mí? —preguntó Swan.

—¿En quién si no? ¿Te has acordado de llamar al electricista, cariño?

—No encontraba el momento —dijo Swan—, y al final se me olvidó por completo.

—No importa, mi amor, yo lo haré. Voy a prepararte un delicioso té. ¿Te has sentido muy solo sin mí?

—Sí, mucho.

Rosalind apenas había reparado en Wexford. El inspector jefe estaba investigando el asesinato de su única hija pero ella apenas había reparado en él. Sólo tenía ojos para su marido. Fue él quien sugirió sin demasiado entusiasmo que Wexford se quedara a tomar el té, ahora que había alguien para prepararlo.

—No, gracias —dijo el inspector jefe—. No quiero estorbar.

El mechón de pelo no pertenecía ni a John Lawrence ni a Stella Rivers, pero era pelo de niño. Alguien lo había cortado de la cabeza de un niño. Eso significaba que la persona que había escrito los anónimos tenía acceso a un niño rubio. Más que acceso. Uno no podía acercarse a un niño en la calle y cortarle un mechón de pelo sin meterse en un lío. Técnicamente, se consideraría una agresión. Por tanto, el escritor de anónimos, «el peletero», gozaba de una relación con un niño rubio lo bastante estrecha para poder cortarle un mechón de cabello bien mientras dormía o bien con su consentimiento.

Pero ¿adónde conducía todo eso?, se preguntó Wexford. No podía interrogar a todos los niños rubios de Sussex. Ni siquiera podía pedir a esos niños que se le acercaran, pues esa persona «estrechamente relacionada» —¿un padre?, ¿un tío?— impediría que la criatura respondiera a la llamada.

Aunque no era la hora prescrita, Wexford se tomó dos pastillas para la tensión, que ayudó a bajar con el resto del café. Las iba a necesitar si pretendía pasar el resto del día rastreando Stowerton. Empezaría por la señora Thetford, para averiguar si había difundido la noticia de la desaparición de John por toda la ciudad. Luego tal vez los Rushworth. Si era necesario, se sentaría con Rushworth durante horas, le haría recordar, le haría describir a sus compañeros de búsqueda. Tenía que llegar al fondo del misterio ese mismo día.

El clima en que Burden y su cuñada vivían ahora no era propicio para las confidencias. Había pasado casi una semana desde que ella le sonriera o dijera algo como «hace frío» o «pásame la mantequilla, por favor». Pero tarde o temprano él tendría que hablarle de su inminente matrimonio, y también a los niños, y tal vez pedirles su consentimiento.

Pensó que su oportunidad había llegado cuando, algo más afable, Grace preguntó:

—¿Tendrás el fin de semana libre?

—No estoy seguro —respondió Burden con cautela—. Tenemos mucho trabajo.

—Mamá quiere que vayamos a verla los cuatro este fin de semana.

—No creo que... —comenzó Burden—. En fin, no creo que pueda. Mira, Grace, hay algo que...

Grace se levantó de un salto.

—Siempre hay algo. Ahórrate las excusas. Iré sola con los niños, si no tienes inconveniente.

—Por supuesto que no tengo inconveniente —dijo Burden, y se marchó al trabajo, o lo que habría sido trabajo si hubiese podido concentrarse.

Había hecho la vaga promesa de que almorzaría en Fontaine Road. Pan con queso, supuso, en aquella cocina repugnante. Pese a lo mucho que ansiaba pasar las noches con Gemma, las comidas que le preparaba no eran de su agrado. Casi prefería comer en la cafetería de la comisaría. Súbitamente cayó en la cuenta de que en poco tiempo cada plato que comiese en casa estaría preparado por Gemma.

Wexford había salido. Hacía tiempo que el inspector jefe no salía sin dejarle una nota, pero las cosas habían cambiado. Él había hecho que cambiasen, y en el proceso había perdido el respeto de Wexford.

Mientras bajaba en el ascensor deseó no encontrarse con él. Cuando la puerta se abrió, sólo vio en el vestíbulo a Camb y a Harry Wild, que últimamente parecía formar parte del mobiliario, como el mostrador o las sillitas rojas. Burden, de hecho, lo trataba como a un mueble, aceptaba su presencia pero, por lo demás, lo ignoraba. Se dispuso a franquear las puertas oscilantes cuando éstas se abrieron bruscamente y apareció Wexford.

Salvo cuando estaba con Gemma, el murmullo se

había convertido en el modo habitual de habla de Burden. Murmuró un saludo y habría seguido su camino si Wexford no lo hubiese detenido con el «¡Señor Burden!» que solía emplear en presencia de personas como Camb y Wild.

—¿Señor? —respondió Burden con análoga formalidad.

—He pasado la mañana con ese tal Rushworth —dijo Wexford, bajando el tono de voz—, pero no he podido sacarle nada. Me parece que es un poco lerdo.

Con gran esfuerzo, Burden trató de concentrarse en Rushworth.

—No lo sé —dijo—. Yo jamás habría sospechado de él, aunque es cierto que lleva un abrigo de tres cuartos, y luego está lo del susto de muerte que dio a la hija de los Crantock.

—¿Qué? —dijo Wexford extrañado.

—Ya se lo conté —dijo Burden—. Redacté un informe al respecto. —Titubeando, murmurando de nuevo, relató al inspector jefe la escena que había presenciado en Chiltern Avenue—. Seguro que se lo dije —balbució—. Estoy convencido de que...

Wexford se olvidó de Wild y de Camb.

—¡No lo hiciste! —exclamó—. No redactaste ningún informe. ¿Estás diciéndome, *ahora*, que Rushworth molestó a una niña?

Burden se quedó sin habla. Notó que sus mejillas enrojecían. Era cierto, ahora lo recordaba, no había redactado ningún informe, el suceso se había borrado totalmente de su mente. El amor y la complicidad lo habían borrado, pues aquella noche, mientras Stowerton dormitaba envuelto en la niebla, había sido su primera noche con Gemma.

La crisis entre Burden y Wexford habría estallado

si no hubiese sido por la intervención de Harry Wild. Ajeno al conflicto, incapaz de sospechar que estaba *de más*, se volvió y dijo en voz alta:

—¿Significa eso que Bob Rushworth integra la lista de sospechosos?

—Yo no he dicho eso —espetó Wexford.

—No hace falta que se ponga así. ¿No quiere que lo ayude en sus pesquisas?

—¿Qué sabes tú?

—Conozco a Rushworth —comenzó Wild, interponiéndose entre los dos policías—, y sé que es un tipo detestable. Un amigo mío tiene alquilada una casita suya en Mill Lane, pero Rushworth conserva una llave y entra y sale cuando le place. Un día fisgoneó los papeles privados de mi amigo sin su permiso y el hijo entra y le roba manzanas del jardín. En una ocasión le birló un cartón de leche. Podría contarte cosas de Bob Rushworth que...

—Creo que ya me has contado bastante, Harry —dijo Wexford. Sin proponer su habitual invitación a almorzar, sin siquiera mirar a Burden, salió de la comisaría por donde había venido.

Como sabía que si iba al Carousel Burden lo seguiría y le amargaría la comida con burdas excusas, Wexford se dirigió a su casa y sorprendió a su mujer, que raras veces lo veía entre las nueve y las seis, con una exigencia imperiosa de algo que comer. Hacía mucho tiempo que ella no lo veía tan malhumorado. Tenía hinchadas las venas de las sienes. Alarmado, Wexford ingirió dos pastillas anticoagulantes con la cerveza que su esposa había sacado de la nevera. Burden debería saber que no podía alterarle de ese modo. Sólo le faltaba acabar como el pobre Scott.

A las tres, algo más sereno, fue a ver a la señora Thetford. Una vecina le dijo que estaba limpiando en casa de la señora Dean. Wexford esperó a que regresara y no halló motivos para rechazar una taza de té y un trozo de pastel de frutas. Los Rushworth, después de todo, pasaban fuera de casa casi todo el día, y prefería hablar con ambos antes que soportar otra entrevista con el hombre en su despacho de agente inmobiliario, constantemente interrumpida por las llamadas de clientes.

Pero té y pastel fue todo lo que sacó de la señora Thetford. La mujer repitió la historia que Wexford ya conocía de labios de su marido. La señora Dean le comunicó la desaparición de John Lawrence a las cinco, pero aseguró que únicamente habló de ello con su marido y su cuñado.

Conduciendo parsimoniosamente, Wexford llegó a Sparta Grove. La paciente de Lomax, la señora Foster, era su última oportunidad. Seguro que le había contado a alguien lo que había oído en la consulta del doctor. O quizá alguien la oyó por casualidad. Era una posibilidad, tal vez la única que quedaba. Vivía en el número 14. Wexford aparcó y entonces vio al chico. Estaba balanceándose sobre la verja de la casa de al lado, el número 16, y su pelo más bien largo era rubio como el oro.

Para entonces la escuela había concluido y Sparta Grove hervía de niños. Wexford hizo señas desde el coche a una niña de unos doce años, quien se acercó con escepticismo.

—No debo hablar con extraños.

—Me parece muy bien —dijo Wexford—. Soy policía.

—No lo parece. Enséñeme su placa.

—Caray, si sigues por ese camino llegarás lejos. —Wexford sacó la placa y la niña la examinó con gran deleite—. ¿Satisfecha?

—Mmm —murmuró—. Lo he aprendido de la tele.

—Muy educativa, la tele. No entiendo por qué se molestan en mantener abiertas las escuelas. ¿Ves a ese chico rubio? ¿Dónde vive?

—Ahí mismo. En la casa de cuya verja está subido.

Gramaticalmente incorrecto pero esclarecedor.

—No le digas que te lo he preguntado. —Wexford extrajo una moneda que sabía que no le sería reembolsada.

—Y si me lo pregunta, ¿qué le digo?

—Seguro que eres una chica de recursos. Di que era un tipo extraño.

Ése no era el momento. Debía esperar a que todos los niños estuvieran acostados. En cuanto el Piebald Pony abrió sus puertas, entró y pidió unos emparedados y una jarra de cerveza. En cualquier momento, pensó Wexford, entrarían Mono y el señor Casaubon. Encantados de verlo en el local, tratarían de sonsacarle si ya estaban cerca de hacerse con esas dos mil libras, y él, igualmente encantado, les diría que nunca habían estado más lejos. Puede que incluso se mostrara indiscreto y les revelara su más secreta convicción: que Swan no era culpable de ningún crimen salvo el de la indiferencia.

Pero nadie apareció. Eran las siete cuando Wexford abandonó el Piebald Pony y caminó tres cuartas partes de la tranquila y poco iluminada Sparta Grove.

Llamó a la puerta del número 16. No se veían luces. Todos los niños del barrio debían de estar acostados. Seguro que en esa casa el chico rubio dormía. A juzgar por el aspecto externo —las cortinas no filtraban el brillo azulado de la pantalla de televisión—, los padres debían de haber salido, dejándolo solo. Wexford tenía muy mala opinión de los padres que hacían esas cosas, especialmente en ese barrio. Volvió a golpear la puerta, esta vez con más fuerza.

Para una persona astuta e intuitiva, la sensación que inspira una casa vacía difiere de la de una casa que parece vacía pero en la que dentro hay alguien que no desea abrir la puerta. Wexford sentía que había vida en algún lugar de esa oscuridad, una vida atenta, consciente, algo más que un niño dormido. Había alguien, tenso, escuchando el sonido de la aldaba, esperando que los golpes cesaran y el visitante se alejara. Sigilosamente, Wexford rodeó la casa y llegó al patio trasero. Había luz en la vivienda de los Foster, pero todas las puertas y ventanas estaban cerradas. La luz amarilla procedente de la cocina de la señora Foster revelaba que el número 16 era una casa bien cuidada, que el caminito había sido barrido y el escalón de la puerta trasera relucía. El triciclo del niño y una bicicleta de hombre estaban apoyados contra la pared y protegidos con un plástico transparente.

Golpeó la puerta con el puño. Acto seguido, accionó el picaporte, pero estaba cerrado con llave. No podía entrar sin una orden, pensó, y le sería imposible obtenerla sin disponer de más pruebas.

Con paso cauteloso, comenzó a dar vueltas, sintiendo el césped húmedo bajo los pies. De pronto, una luz lo iluminó por detrás y oyó a la señora Foster decir con tanta claridad como si la tuviera junto a la oreja: «No olvides sacar la basura, cariño. Ya sería la segunda semana que no lo haces.»

Justamente lo que pensaba. Cada palabra pronunciada en el jardín del número 14 podía oírse en el jardín contiguo. La señora Foster no había visto a

Wexford. Esperó a que regresara a la cocina y siguió andando.

Entonces lo vio, un fino rayo de luz proyectado en el césped, más delgado que el de una linterna de bolsillo, que provenía de una puerta cristalera. Se acercó de puntillas al origen de la luz, un hueco minúsculo entre dos cortinas corridas.

No veía nada. Entonces advirtió que en el centro justo de la puerta el borde de la cortina había quedado enganchada a un tornillo. Wexford se agachó, pero seguía sin ver nada. No tenía más remedio que tumbarse en el suelo. Afortunadamente, nadie podía verlo ni observar lo difícil que le resultaba adoptar una de las posturas más naturales del hombre.

Echado sobre su vientre, acercó un ojo al triángulo abierto. La habitación se desplegó ante él. Era un espacio reducido, ordenado, amueblado convencionalmente por un ama de casa orgullosa, con un tresillo color burdeos y un juego de mesitas, y adornado con gladiolos y claveles de cera cuyos pétalos frotaba cada día con un trapo húmedo.

El hombre que estaba sentado a la mesa, escribiendo, parecía bastante relajado y concentrado en su labor. El visitante inoportuno se había marchado por fin, devolviéndole la paz y la intimidad que precisaba. Sin duda su rostro reflejaba esa concentración, ese terrible egotismo solitario, pero Wexford no alcanzaba a verle la cara, sólo las piernas y los pies desnudos. Percibía el ensimismamiento extático del hombre y sospechaba que bajo el abrigo de pieles que lo cubría prácticamente no llevaba ropa.

Wexford contempló al hombre durante largo rato, observó cómo de vez en cuando dejaba de escribir para pasarse la manga de espeso pelaje por la nariz y la boca. Sintió escalofríos, pues sabía que estaba presenciando algo más íntimo que una conversación privada, un acto de amor o una confesión. Ese hombre no estaba solo consigo mismo, sino con su otro ser, una segunda personalidad que probablemente nadie conocía hasta ese momento.

Presenciar ese fenómeno, esa intensa fantasía secreta en una habitación que destilaba convencionalismo, era para Wexford una intrusión intolerable. Entonces recordó las citas infructuosas y la esperanza y la desesperación de Gemma Lawrence. La ira se impuso a la vergüenza. Se puso de pie y golpeó con fuerza el cristal.

19

Impaciente por alcanzar el ascensor, Burden apartó de un empujón a Harry Wild.

—¡Vigila esos modales! —protestó el reportero—. No hay necesidad de empujar. Tengo derecho a entrar aquí y hacer preguntas si...

La puerta del ascensor se cerró, interrumpiendo el resto de sus observaciones, que probablemente habrían desembocado en que si no fuera por su modestia y por su amor por la vida tranquila, estaría ejerciendo sus derechos en vestíbulos mucho más elegantes que el de la comisaría de Kingsmarkham. Burden no quería oírlo. Sólo quería la confirmación o la desmentida de la afirmación de Harry acerca de que habían encontrado al chico.

—¿Qué es eso de un juicio extraordinario? —preguntó Burden, irrumpiendo en el despacho de Wexford.

El inspector jefe parecía cansado esa mañana. Cuando estaba cansado su tez adquiría un tono grisáceo y sus ojos parecían más pequeños que nunca, si bien conservaban su brillo acerado bajo los párpados hinchados.

—Ayer por la noche —dijo— di con nuestro escritor anónimo, un tal Arnold Charles Bishop.

—Pero ¿encontró al chico? —preguntó Burden casi sin aliento.

—Por supuesto que no. —Burden detestaba a Wexford cuando empleaba ese tono desdeñoso. Los ojos del inspector jefe parecían estar perforando dos limpios orificios en su dolorida cabeza—. Ni siquiera lo conoce. Lo encontré en su casa de Sparta Grove, ocupado en escribirme otra carta. La esposa estaba en la escuela nocturna y los niños en la cama. Oh, sí, tiene dos hijos, dos varones. El mechón de pelo correspondía a uno de ellos; se lo cortó mientras dormía.

—Cielo santo —dijo Burden.

—Siente una atracción especial por el pelo de animal. ¿Quieres que te lea su declaración?

Burden asintió con la cabeza.

—«No conozco a John Lawrence ni a su madre. Jamás arrebaté el niño a su madre, su tutora legal. El 16 de octubre, en torno a las seis de la tarde, oí a mi vecina, la señora Foster, contar a su marido que John Lawrence había desaparecido y que probablemente se formarían pelotones de búsqueda. Fui a Fontaine Road en bicicleta y me uní a uno de los grupos.

»En tres ocasiones consecutivas, entre octubre y noviembre, escribí una carta al inspector jefe. No las firmé. Lo llamé una vez por teléfono. No sé por qué lo hice. Un impulso se apoderó de mí y tuve que hacerlo. Soy un hombre felizmente casado y tengo dos hijos. Jamás haría daño a un niño y no tengo coche. Hablé de los conejos porque me gusta el pelo de los animales. Tengo tres abrigos de pieles pero mi mujer no lo sabe. No sabe nada de lo que he hecho. Muchas veces, cuando ella sale y los niños se van a la cama, me pongo uno de mis abrigos y acaricio el pelo.

»Leí en el periódico que la señora Lawrence era pelirroja y su hijo rubio. Corté un mechón de pelo de la cabeza de mi hijo Raymond y lo envié a la policía. No puedo explicar por qué lo hice, sólo puedo decir que tenía que hacerlo.»

—Como mucho le caerán seis meses por obstrucción a la policía —declaró Burden con voz ronca.

—¿De qué quieres acusarlo? ¿De tortura mental? Ese hombre está enfermo. Yo también estaba furioso anoche, pero ya se me ha pasado. A menos que seas un animal o un imbécil, no puedes enfurecerte con un hombre que está obligado a vivir con una enfermedad tan grotesca como la suya.

Burden murmuró algo así como que eso sólo valía para la gente a quien el asunto no afectaba personalmente, pero Wexford lo ignoró.

—El juicio tendrá lugar dentro de media hora. ¿Vendrás?

—¿Y escuchar de nuevo toda esa basura?

—Gran parte de nuestro trabajo tiene que ver con esa basura, como tú la llamas. Es nuestro deber retirarla, averiguar dónde está, dónde vive. —Wexford se incorporó y se inclinó sobre el escritorio—. Si no vienes, ¿qué harás? ¿Mirar las musarañas todo el día? ¿Delegar? ¿Escurrir el bulto? Mike, tengo que decírtelo ya. Es hora de que lo sepas. Estoy harto. Estoy tratando de resolver este caso yo solo porque ya no puedo contar contigo. No puedo hablar contigo. Antes analizábamos juntos cada caso, escudriñábamos la basura, si lo prefieres. Hablar contigo ahora... en fin, es como tratar de mantener una conversación lógica con un autómata.

Burden alzó la vista. Por un instante Wexford creyó que no iba a responder, que no iba a defenderse. Sólo miraba, con una mirada muerta, vacía, como si lo hubieran interrogado durante muchos días y muchas noches y ya no pudiera distinguir los hilos retorcidos, dolorosos, que urdían su infelicidad. Pero por eso mismo sabía que ya no podía seguir buscando excusas. Entonces lo expulsó todo con frases breves y concisas.

—Grace se va de casa. No sé qué hacer con los niños. Mi vida privada es un desastre. No puedo hacer mi trabajo. —El llanto que había procurado contener, finalmente estalló—. ¿Por qué tuvo que morir? —Y luego, porque no podía parar, porque las lágrimas que nadie debía ver le quemaban los párpados, hundió la cabeza en las manos.

La habitación estaba en silencio. «Pronto tendré que levantar la cabeza —pensó Burden—, y retirar las manos y observar su mueca burlona.» Sólo movió los dedos, y lo hizo para apretarse los ojos con más fuerza. Entonces notó la mano pesada de Wexford sobre su hombro.

—Mike, mi querido y viejo amigo...

Una escena emotiva entre dos hombres generalmente imperturbables suele concluir con una amarga vergüenza. Cuando Burden se recuperó, se sentía terriblemente avergonzado, pero Wexford no se lanzó a una efusiva diatriba ni hizo el torpe intento de cambiar de tema.

—Este fin de semana estás fuera de servicio, ¿verdad, Mike?

—¿Cómo quiere que coja vacaciones ahora?

—No seas loco. En el estado en que te encuentras no sirves para nada. Cógete un fin de semana largo, empieza el jueves.

—Grace piensa llevarse a los niños a Eastbourne...

—Ve con ellos. Trata de convencerla de que se quede. Hay formas de conseguirlo, ¿no crees? Y ahora... ¡Dios mío, mira qué hora es! Si no salgo pitando llegaré tarde al juicio.

Burden abrió la ventana y dejó que la delgada bruma de la mañana le refrescara el rostro. Creía que con el arresto de Bishop se iba la última oportunidad —¿o su último temor?— de encontrar a John Lawrence. No quería perturbar a Gemma con la noticia, y ella nunca leía los periódicos locales. La dulce niebla, blanca y traslúcida, lo humedecía y calmaba. Pensó en la bruma de la costa y en las playas largas, yermas, desiertas en noviembre. Una vez allí hablaría a los niños, a Grace y a su suegra de su intención de casarse con Gemma.

Se preguntaba por qué la idea lo estremecía aún más que la fría caricia del aire otoñal. ¿Por qué había ido a elegir como sucesora de Jean a la criatura más extraña del mundo? En otros tiempos solía admirar a los hombres que, movidos por su bondad o por un enamoramiento temporal, se casaban con mujeres cojas o ciegas. ¿Acaso no pensaba él hacer lo mismo, casarse con una mujer cuyo corazón y personalidad cojeaban? Él la conocía únicamente así. ¿Cómo sería cuando se curara de su deformidad?

Era ridículo, monstruoso, ver en Gemma a una mujer deformada. Con ternura y nostalgia rememoró su belleza y sus noches de amor. Entonces, cerrando bruscamente la ventana, supo que no iría a Eastbourne con Grace.

Bishop estaba en prisión preventiva, pendiente de un examen médico. Los psiquiatras pondrían manos a la obra, pensó Wexford. Quizá le hiciese algún bien, pero lo dudaba. Si creyera en los psiquiatras, habría aconsejado a Burden que se buscara uno. Con todo, su último enfrentamiento había contribuido a aclarar las cosas. Wexford se sentía mejor y esperaba que Burden también. Ahora estaba inevitablemente solo. Debía encontrar al asesino de la muchacha sin ayuda de nadie... o recurrir a Scotland Yard.

Los acontecimientos de las últimas veinticuatro horas habían desviado la atención de Wexford del señor y la señora Rushworth. Volvió a centrarse en ellos. Rushworth solía vestir un abrigo de tres cuartos, y era sospechoso de haber molestado a una niña, pero si hubiese sido el merodeador del parque infantil, la señora Mitchell lo habría reconocido. Además, tras la desaparición de John la policía había investigado a todos los hombres, incluido Rushworth, que vivían en un radio de quinientos metros de Fontaine Road.

Wexford ahondó de nuevo en los informes. Rushworth aseguraba que la tarde del 16 de octubre había estado en Sewingbury, donde tenía una cita con una cliente para mostrarle una casa. La cliente, al parecer, no se presentó. En febrero, Rushworth ni siquiera fue interrogado. ¿Y qué razón había para interrogarlo? Nada lo relacionaba con Stella Rivers y nadie sabía entonces que era el propietario del cobertizo alquilado en Mill Lane. En aquel entonces, la identidad del propietario de la casa no pareció importante.

Visitaría a Rushworth más tarde. Primero necesitaba indagar en la personalidad y la veracidad del hombre.

—¡Salir de esta casa! —exclamó Gemma—. ¡Desaparecer unos días! —Echó los brazos al cuello de Burden—. ¿Adónde iremos?

—Elige tú.

—Me gustaría ir a Londres. Allí uno puede perderse, ser uno más en una enorme y magnífica multitud. La ciudad ofrece luces y diversiones durante toda la noche, y... —Se detuvo a mitad de la frase, quizá a causa de la mirada horrorizada de Burden—. No, no te gustaría. No nos parecemos mucho, ¿verdad, Mike?

Burden no respondió. No tenía intención de admitirlo en voz alta.

—¿Por qué no vamos a la costa? —propuso.

—¿Al mar? —Aunque no muy buena, Gemma había sido actriz, y vertió toda la soledad, la profundidad y la inmensidad del mar en esas dos palabras. Burden se preguntó por qué temblaba. Entonces, dijo—: Si a ti te parece bien, a mí también. Pero no vayamos a un lugar concurrido, donde podamos ver... familias, gente con... con niños.

—Estaba pensando en Eastover. Es noviembre, de modo que no habrá niños.

—De acuerdo. —Gemma se abstuvo de recordarle que él le había pedido que eligiera—. Iremos a Eastover —dijo con voz temblorosa—. Será divertido.

—Todo el mundo creerá que he ido a Eastbourne con Grace y los niños. Me ha parecido lo más conveniente.

—¿Para que no puedan localizarte? —Gemma asintió con un gesto de grave inocencia—. Comprendo. Me recuerdas a Leonie. Siempre dice a la gente que va a un lugar, pero en realidad va a otro. Lo hace para que no la atosiguen con cartas y llamadas telefónicas.

—Ésa no es la razón —confesó Burden—. En realidad, no quiero que nadie... No hasta que estemos casados, Gemma.

Ella sonrió con los ojos muy abiertos, sin comprender. Burden se percató de que Gemma, efectivamente, no entendía su necesidad de respetabilidad, de salvar las apariencias. No hablaban el mismo lenguaje.

Era miércoles por la tarde y la rutinaria señora Mitchell estaba limpiando la ventana del rellano. Mientras hablaba, en una mano sostenía un trapo rosa y en la otra una botella con un líquido del mismo color, y como no había querido sentarse Wexford tampoco pudo hacerlo.

—Por supuesto que habría reconocido al señor Rushworth —dijo—. Su hijo pequeño, Andrew, estaba jugando en el parque con los demás chicos. Además, el señor Rushworth es bastante grande y el hombre que vi era bajo y menudo. Ya comenté al otro agente que tenía unas manos pequeñas. Además, el señor Rushworth no se habría puesto a recoger hojas.

—¿Cuántos hijos tiene?

—Cuatro. Paul, de quince años, dos niñas pequeñas y Andrew. No digo que sean unos buenos padres. Esos niños están demasiado consentidos y la señora Rushworth no hizo caso cuando le conté lo de ese hombre. ¡Pero hacer algo así...! No, inspector, creo que apunta a la persona equivocada.

Quizá estuviese en lo cierto. Wexford dejó a la señora Mitchell limpiando su ventana y cruzó el parque infantil. El otoño estaba demasiado avanzado para que los niños jugaran al aire libre, y ya no habría más veranillos sorpresivos. El eje escarlata del tiovivo parecía que nunca había girado y el moho comenzaba a acumularse en los columpios. Casi no quedaban hojas en los robles, fresnos y sicomoros que crecían entre el parque y Mill Lane. Acarició las ramas más bajas e imaginó que adivinaba las marcas de los brotes arrancados. Luego, con un estilo indudablemente mucho más torpe que el del recogedor de hojas y su joven compañero, descendió por la loma.

Anduvo por la calzada con paso vigoroso, diciéndose que lo hacía tanto por motivos de salud como de trabajo. No había esperado encontrar a nadie en la casita alquilada, pero el amigo de Harry Wild se hallaba en cama con un resfriado. Quince minutos más tarde, nuevamente en la calle, Wexford temió que su visita sólo había servido para aumentar la fiebre del hombre, tanto le había acalorado la conversación sobre Rushworth, su infame casero. A menos que el testimonio del inquilino fuera exagerado, toda la familia Rushworth tenía por costumbre irrumpir en la casa, hacerse con los productos del huerto y retirar de vez en cuando pequeños muebles que sustituían por notas escritas a mano. Los Rushworth conservaban una llave de la vivienda, pero el alquiler era tan bajo que el inquilino no se atrevía a protestar. Por lo menos, Wexford averiguó la identidad del niño al que habían visto salir de la casa aquella tarde de febrero. Sin duda, se trataba de Paul Rushworth.

El día había transcurrido gris y anubarrado, y aunque apenas eran las cinco comenzaba a oscurecer. Wexford notó las primeras gotas de lluvia. En un día como ése y aproximadamente a esa hora Stella había seguido esa misma carretera, acelerando el paso quizá, lamentando no gozar de mayor protección que su chaqueta de montar. ¿Realmente había llegado tan lejos? ¿Era posible que su trayecto y su vida no hubiesen sobrepasado el cobertizo que acababa de dejar atrás?

Wexford había estado tan absorto en Stella, transmutando mentalmente su cuerpo maduro, masculino y corpulento en la figura delicada de una niña de doce años, que cuando percibió el ruido retrocedió hasta el margen del césped y escuchó esperanzado.

Era el sonido de unos cascos. Un caballo avanzaba por la curva de la carretera.

Él ya no era el viejo Reg Wexford sino Stella. Estaba sola y algo asustada y empezaba a llover, pero Swan venía por fin... ¿A caballo? ¿Un caballo para dos personas? ¿Por qué no en coche?

El caballo y su jinete aparecieron frente a él. Wexford regresó a su verdadero ser y exclamó:

—Buenas tardes, señora Fenn.

La profesora de equitación tiró de las riendas del caballo gris.

—¿No es una maravilla? —dijo—. Ojalá fuera mío, pero tengo que devolverlo a la señorita Williams, a Equita. Hemos pasado una tarde estupenda, ¿verdad, *Silver*? —Acarició el cuello del animal—. ¿Todavía no han cogido... al hombre que mató a la pobre Stella Swan?

Wexford negó con la cabeza.

—Debería llamarla Stella Rivers —continuó ella—. No entiendo por qué me hago tanto lío. Al fin y al cabo, yo también tengo dos nombres. La mitad de mis amigos me llama Margaret y la otra mitad utiliza mi segundo nombre. No debería confundirme de ese modo. Probablemente me esté haciendo vieja.

Wexford no estaba de humor para cumplidos y sencillamente preguntó si alguna vez había visto a Rushworth en las inmediaciones de Saltram House.

—¿Bob Rushworth? Ahora que lo dice, él y su

mujer venían con frecuencia por aquí el pasado invierno, y ella incluso me preguntó si podía llevarse una de las estatuas. La que estaba tirada en el césped, ya sabe.

—¿Por qué no lo mencionó antes?

—¿Por qué iba a hacerlo? —repuso la señora Fenn, inclinándose para acariciar la oreja del caballo—. Conozco a los Rushworth desde hace años. Paul incluso me llama tía. Supongo que querían la estatua para su jardín. Le contesté que yo no era quién para decir si podía llevársela o no. —Se acomodó sobre la silla de montar—. Y ahora, si me disculpa, debo irme. *Silver* está muy bien educado y se pone nervioso cuando oscurece. —El caballo levantó la cabeza y comunicó su acuerdo con un sonoro relincho—. No pasa nada, cariño —lo tranquilizó la señora Fenn—. Pronto estarás en casa con mamá.

Wexford reanudó su camino. La lluvia era fina pero constante. Dejó atrás Saltram Lodge y entró en el sendero ensombrecido por el espeso follaje de los árboles. Al cabo de doscientos o trescientos metros, la arboleda se aclaraba, mostrando la esplendorosa panorámica de la gran mansión.

Los prados ofrecían un aspecto sombrío y la casa, asomando entre la niebla, parecía un esqueleto negro salpicado de cuencas vacías. Wexford se alegraba de no conocer el lugar ni de haber tenido la costumbre de visitarlo. Ya sólo veía en él un cementerio.

20

No había tenido el valor de reservar una habitación doble a nombre del señor y la señora Burden. Un día Gemma se convertiría en la señora Burden y entonces sería diferente. Entretanto, era el apellido de Jean. Jean conservaba el título como una campeona a quien la muerte no podía despojarla de sus honores.

Su hotel era la taberna del pueblo de Eastover que había sido ampliada después de la guerra para alojar a media docena de huéspedes, y les habían dado dos habitaciones contiguas que daban al mar inmenso y gris. Hacía demasiado frío para bañarse, pero en las playas siempre hay niños. Mientras Gemma deshacía el equipaje, Burden contempló a unos niños, cinco en total, que habían bajado a la playa con sus padres. La marea era baja, la playa tenía un tono ocre acerado y la arena estaba demasiado prieta, demasiado comprimida, para mostrar huellas desde lo lejos. El hombre y la mujer caminaban separados, indiferentes. Casados desde hacía largo tiempo, pensó Burden —la hija mayor aparentaba unos doce años—, no precisaban el contacto ni la reafirmación del otro. Los niños, persiguiéndose los unos a los otros, rodando en dirección a la orilla, eran prueba suficiente de su amor. Los padres, separados ahora por un extenso banco de conchas y guijarros, se miraron y Burden leyó en esa mirada un lenguaje secreto de confianza mutua, esperanza y profundo entendimiento.

Algún día sería así para él y para Gemma. Llevarían a sus hijos a una playa como aquélla y pasearían entre el agua y el cielo, recordarían sus noches y sus días y esperarían la noche con ilusión. Burden se volvió rápidamente para expresarle sus pensamientos, pero de inmediato se dijo que no debía, porque con ello desviaría la atención de Gemma hacia los niños.

—¿Qué ocurre, Mike?

—Nada. Sólo quería decirte que te quiero. —Cerró la ventana, y aunque corrió las cortinas, siguió viendo a esos niños en la penumbra. Tomó a Gemma en sus brazos y cerró los ojos, pero seguía viéndolos. Entonces le hizo el amor violenta y apasionadamente para exorcizarlos, sobre todo a ese pequeño de pelo rubio al que nunca había visto pero que era más real que los niños que jugaban en la playa.

La casita habitada los fines de semana era muy antigua, y había sido construida antes de la guerra civil, antes de la partida del *Mayflower,* antes, tal vez, del último Tudor. La de Rushworth era algo más moderna, del mismo período, dedujo Wexford, que Saltram House y el cobertizo, aproximadamente de 1750. En ausencia de Burden pasaba gran parte del tiempo en Mill Lane, observando las tres viviendas, entrando en sus jardines y deambulando por ellos pensativamente.

En una ocasión caminó desde el cobertizo de

Rushworth hasta los surtidores de Saltram House y volvió al punto de partida. Tardó media hora. Repitió el proceso, pero esta vez se detuvo para simular que levantaba la losa del depósito e introducía un cuerpo. Cuarenta minutos.

Fue en coche hasta Sewingbury y vio a la mujer que se había citado con Rushworth aquella tarde de octubre. Ésta ratificó que le había sido imposible acudir a la cita. ¿Qué ocurrió aquella otra tarde, en febrero?

Una noche fue a Fontaine Road para ver a los Crantock y en un impulso llamó primero al número 61. No tenía nada que contar a la señora Lawrence, ninguna novedad, pero sentía curiosidad por ver a esa mujer desamparada de la que se decía que era tan bella, y sabía por experiencia que su presencia, flemática y paternal, en ocasiones resultaba reconfortante. Nadie respondió a su llamada y esta vez tuvo una sensación muy diferente de la que había sentido en el portal de Bishop. No obtuvo respuesta sencillamente porque en la casa no había nadie.

Pensativo, permaneció en medio de la calle por unos instantes y luego, desconcertado por razones personales, se acercó a la puerta de los Crantock.

—Gemma no está —le informó la señora Crantock—. Ha ido a pasar el fin de semana a la costa sur.

—En realidad quería hablar con usted y con su marido. Acerca de su hija y un hombre llamado Rushworth.

—Comprendo. Su inspector tuvo la amabilidad de acompañarla hasta casa. Le estuvimos muy agradecidos. Pero en realidad fue una tontería. Dicen por ahí que el señor Rushworth persigue a las jovencitas, pero yo confío en que sólo sean rumores, y en cualquier caso mi hija sólo tiene catorce años, todavía no puede considerársela una jovencita.

Crantock salió al vestíbulo para conocer la identidad del visitante. Reconoció a Wexford de inmediato y le estrechó la mano.

—De hecho —dijo Crantock—, Rushworth vino al día siguiente para disculparse. Dijo que se había acercado a Janet porque sabía que queríamos deshacernos de un piano. —Crantock sonrió y levantó los ojos hacia el techo—. Le aclaré que en realidad queríamos venderlo, y claro, enseguida dejó de interesarle.

—Fue una tontería por parte de Janet asustarse de ese modo —dijo su esposa.

—No lo sé. —Crantock ya no sonreía—. Todos estamos muy nerviosos, en particular los niños con edad para comprender. —Miró fijamente a Wexford y añadió—: Y la gente con hijos.

Wexford se dirigió a Chiltern Avenue por el sendero flanqueado de arbustos. Tuvo que utilizar su linterna, y a medida que avanzaba pensó, y no era la primera vez que lo hacía, en la suerte que tenía de ser hombre, y además corpulento, en lugar de mujer. Sólo a la luz del día y con un cielo claro podía una mujer caminar por ese sendero sin temor, sin volver la cabeza, sin sentir que su corazón se aceleraba. Era lógico que Janet Crantock se hubiera asustado. Luego pensó en John Lawrence, cuya juventud lo hacía tan vulnerable como una mujer y quien ya nunca crecería para hacerse un hombre.

Por las noches, cuando la marea bajaba, paseaban a oscuras por la playa o se sentaban en las rocas, a la entrada de una cueva que habían descubierto. La lluvia no había hecho acto de presencia, pero era noviembre y por la noche el frío era intenso. La primera vez se protegieron con gruesos abrigos, pero la ropa los distanciaba, de modo que la segunda vez Burden llevó la manta del coche. Se cubrían con ella, apretándose el uno contra el otro, cogidos de la mano, envueltos por los gruesos pliegues de lana que los protegían del viento salobre del mar. Cuando estaba a solas con ella en la oscuridad de la playa, Burden era tremendamente feliz.

Eastover se llenaba de gente incluso en esa época del año, y ella tenía miedo de la gente. De modo que evitaban el pueblo y también Chine Warren, el poblado vecino. Gemma lo conocía y quiso visitarlo, pero Burden no la dejó. Creía que era de ese pueblo de donde venían los niños. Procuraba en todo momento mantener a los chiquillos fuera de la vista de Gemma. A veces, compasivo ante su dolor pero celoso de la causa del mismo, se encontraba deseando que apareciera un flautista de Hamelín y se llevara con su tonada a todos los niños de Sussex, para que no pudieran atormentarla con sus risas y juegos ni privarlo a él de felicidad.

—¿Crees que es una muerte rápida, el mar? —preguntó Gemma.

Burden se estremeció mientras contemplaba el vaivén de la marea.

—No lo sé. Nadie que haya muerto de ese modo ha vuelto para contarlo.

—Yo creo que sí lo es —dijo Gemma con voz infantil, reflexiva—. Fría, limpia y rápida.

Por la tarde, Burden le hacía el amor —nunca antes se había sentido tan consciente y satisfecho de su virilidad como ahora, cuando comprobaba el modo en que su amor la reconfortaba— y después, mientras ella dormía, bajaba hasta la playa o recorría el acantilado hasta Chine Warren. Todavía quedaba algo del calor del sol y los niños acudían a construir castillos de arena. Había descubierto que no eran una familia, que la pareja no eran marido y mujer. Cuatro de los niños pertenecían al hombre y el quinto era de la mujer. ¡Qué irónicas y engañosas eran las primeras impresiones! Rememoró abochornado su romántica y sentimental idea de que esa pareja, que probablemente sólo se conocía de vista, formaba un matrimonio idílico. Ilusión y desilusión, rumió, lo que la vida es y lo que creemos que es. Desde esa distancia ni siquiera podía distinguir si la criatura solitaria era un chico o una chica, pues vestía como todos los niños, las mismas botas, los mismos pantalones, el mismo gorro.

La mujer se inclinaba continuamente para recoger conchas y en una ocasión tropezó. Al incorporarse de nuevo, Burden observó que arrastraba una pierna y pensó en bajar y cruzar la playa para ofrecerle su ayuda. Pero quizá eso significaría dejarla en el hotel mientras iba en busca del coche, y que la voz del niño despertara a Gemma...

La mujer y el niño bordearon el pie del acantilado en dirección a Chine Warren. En su veloz retroceso, la marea parecía querer arrastrar el mar hasta el corazón del rojo ocaso, el ocaso de noviembre, el más hermoso de todo el año.

Ahora la extensa franja de playa estaba desierta, pero los jóvenes visitantes habían dejado rastros de su presencia. Tras asegurarse de que nadie lo observaba, Burden bajó hasta la playa y fingió deambular sin rumbo fijo. Los dos castillos de arena se erigían orgullosos, seguros de resistir hasta que el mar, en su afán de conquista, regresara a medianoche para arrasarlos. Vaciló, momentáneamente frenado por el hombre sensible y racional que había en él, y luego derrumbó de un puntapié los torreones y pisoteó las almenas hasta que la arena quedó tan rasa como la orilla circundante.

Una vez más la playa les pertenecía, a él y a Gemma. Ni John ni sus delegados podrían arrancarla de su lado. Él era un hombre y un rival perfectamente capaz de compensar la muerte de un niño.

Rushworth acudió a abrir la puerta con su abrigo de tres cuartos.

—Oh, es usted —dijo—. Ahora mismo me disponía a pasear al perro.

—¿Le importaría aplazarlo media hora?

Rushworth se quitó el abrigo a regañadientes, colgó la correa y condujo a Wexford hasta la sala de estar en medio de los gemidos del decepcionado terrier. Había dos chicos mirando la televisión, una niña de unos ocho años sentada a la mesa recomponiendo un rompecabezas y en el suelo, tumbado boca abajo, el benjamín de la casa, Andrew, el amigo de John Lawrence.

—Desearía hablar con usted en privado —puntualizó Wexford.

Era una casa bastante grande que Rushworth, en una de sus propagandas de agente inmobiliario, probablemente habría descrito como una vivienda con tres salones. Esa noche ninguna de las estancias era apta para recibir a nadie que no fuese tratante de muebles usados. Los Rushworth eran, al parecer, criaturas codiciosas, dispuestas a hacerse con todo aquello que pudieran obtener de balde, y Wexford, sentado en esa especie de galería-estudio-biblioteca, contempló una colección de Dickens que seguramente había visto por última vez en la finca Pomfret, antes de que los Rogers decidieran venderlo todo, y dos urnas de piedra cuyo diseño hacía juego con los demás ornamentos de Saltram House.

—Me he devanado los sesos, pero me temo que no puedo decirle nada más acerca de los miembros del pelotón.

—No he venido por eso —aclaró Wexford—. ¿Birló esas urnas de Saltram House?

—En mi opinión no las birlé, como dice usted —protestó Rushworth, sonrojándose—. Estaban tiradas en el suelo y nadie las quería.

—También le puso el ojo a una de las estatuas, ¿no es cierto?

—¿Qué tiene eso que ver con John Lawrence?

Wexford se encogió de hombros.

—No lo sé. Quizá tenga que ver con Stella Rivers. Hablemos claro. Estoy aquí para averiguar dónde estuvo y qué hizo el 25 de febrero.

—¿Cómo quiere que lo recuerde después de tanto tiempo? Ya entiendo, esto es obra de Margaret Fenn, sólo porque me quejé de que mi hija no progresaba en sus clases de equitación. —Rushworth abrió la puerta y gritó—: ¡Eileen!

Cuando no estaba en la oficina tecleando presupuestos para su marido, la señora Rushworth dirigía la casa sin ayuda de nadie, y se le notaba. La mujer tenía un aspecto desgarbado, y el dobladillo de su falda comenzaba a descoserse por detrás. Tal vez hubiese algo de cierto en los rumores de que su marido perseguía a las jovencitas.

—¿Dónde estabas aquel jueves? —inquirió la mujer—. Supongo que en el despacho. Yo sí sé donde estaba. Lo repasé todo mentalmente cuando me enteré de que Stella Rivers había desaparecido. Eran las vacaciones de mitad del trimestre y me había llevado a Andrew al trabajo. Fuimos en coche hasta Equita para recoger a Linda y... ah, sí... Paul, el mayor, nos acompañó y se bajó en el cobertizo. Había una mesita que pensamos que nos iría bien aquí. Pero no vimos a Stella. Yo ni siquiera la conocía de vista.

—¿Estaba su marido en la oficina cuando usted regresó?

—Oh, desde luego. Esperó a que yo llegara para llevarse el coche.

—¿Qué coche tienen, señora Rushworth?

—Un Jaguar granate. Su gente ya ha estado aquí examinándolo por eso de que es un Jaguar y tiene un tono rojizo. Oiga, nosotros no conocíamos a Stella Rivers, ni siquiera de vista. Hasta el momento de su desaparición sólo sabía de su existencia por boca de Margaret, que no paraba de repetir lo fantástica jinete que era.

Wexford dirigió a la pareja una mirada severa y desdeñosa. Estaba meditando, encajando las piezas del rompecabezas, poniendo a un lado los detalles intrascendentes.

—Cuando Stella desapareció usted estaba trabajando —dijo dirigiéndose a Rushworth—. Cuando John desapareció se hallaba en Sewingbury, esperando a una cliente que no se presentó. —Se volvió hacia la señora Rushworth—. Usted estaba trabajando cuando John desapareció. Cuando Stella desapareció, estaba conduciendo por Mill Lane después de pasar por Equita. ¿Vio a alguien por el camino?

—No —respondió tajantemente la señora Rushworth—. Paul seguía en el cobertizo. Lo sé porque encendió una luz y, en fin, para serle sincera, le diré que antes había estado en casa de Margaret Fenn. Lo sé porque la puerta principal estaba entreabierta. Sé que estuvo mal, aunque la señora Fenn suele dejar la puerta de atrás abierta y cuando Paul era pequeño siempre le decía que podía entrar y visitarla cuando quisiera. Pero, claro, ahora que se ha hecho mayor es diferente, y se lo he dicho un montón de veces...

—Olvídelo —espetó Wexford—. No importa.

—Si quiere hablar con Paul... Si cree que eso puede aclarar algo...

—No quiero ver a Paul. —Wexford se incorporó bruscamente. No quería ver a nadie. Tenía la respuesta. Había comenzado a barajarla cuando el señor Rushworth llamó a su mujer, y ahora sólo le quedaba sentarse en un lugar tranquilo y elaborarla.

21

—Nuestro último día —dijo Burden—. ¿Adónde te gustaría ir? ¿Te apetecería dar un paseo en coche y parar a comer en alguna taberna?

—No me importa. Lo que tú quieras. —Gemma le cogió la mano, la apretó contra su cara y dijo, como si las palabras hubieran estado atrapadas en su interior durante horas, carcomiéndola, quemándola—: Tengo el terrible presentimiento de que a nuestro regreso oiremos que lo han encontrado.

—¿A John?

—Y... y al hombre que lo mató —susurró.

—Nos lo harían saber.

—No saben dónde estamos, Mike. Nadie lo sabe.

Con tono pausado y apacible, Burden dijo:

—Te sentirás mejor cuando conozcas la verdad. El dolor, por muy desgarrador que sea, siempre es preferible a la angustia. —¿Lo creía realmente? ¿Prefería saber que Jean estaba muerta a temer su posible muerte?—. Te sentirás mejor —repitió con firmeza—. Y entonces podrás empezar una nueva vida.

—Vámonos —dijo Gemma—. Salgamos de aquí.

Era sábado y nadie había sido arrestado todavía.

—Se respira una gran calma —dijo Harry Wild a Camb— en comparación con la actividad de estos últimos días.

—No me preguntes por qué. A mí nadie me cuenta nada —declaró Camb.

—La vida se nos va de las manos, viejo amigo. Nuestro problema es que no somos ambiciosos. Nos hemos conformado con vivir a la sombra.

—Habla por ti —dijo Camb sorprendido, y suavizando el tono de voz, agregó—: ¿Te apetece una taza de té?

Poco después, el doctor Crocker irrumpía despreocupadamente en el despacho de Wexford.

—Te veo muy tranquilo. Espero que mañana estés libre para jugar al golf.

—No estoy de humor para jugar al golf —refunfuñó Wexford—. Y en cualquier caso, no puedo.

—No tendrás intención de volver a Colchester, ¿verdad?

—Ya he ido. He estado allí esta mañana. Scott ha muerto.

El doctor se acercó a la ventana y la abrió.

—Aquí hace falta un poco de aire fresco. ¿Quién es Scott?

—Deberías saberlo. Era paciente tuyo. Había sufrido una apoplejía y ahora ha tenido otra. ¿Quieres oír la historia?

—¿Por qué razón? La gente sufre apoplejías todos los días. Vengo de visitar a un vejete de Charteris Road que acaba de tener una. ¿Por qué iba a querer que me hables de ese tal Scott? —Se inclinó sobre Wexford con expresión grave y dijo—: ¿Te encuentras bien, Reg? Dios mío, quien en realidad me preocupa eres tú. Tienes un aspecto lamentable.

—Es lamentable. Pero no para mí. Para mí es sólo un problema. —Wexford se levantó bruscamente—. Vamos al Olive.

Eran los únicos clientes del empalagoso y recargado bar.

—Me gustaría un *scotch* doble.

—Y lo tendrás —respondió Crocker—. Por una vez seré yo quien te lo recete.

Wexford pensó por un instante en la taberna, más humilde, donde Mono y el señor Casaubon habían despertado su aversión al tiempo que su curiosidad. Apartó a la pareja de su mente mientras el doctor llegaba con las bebidas.

—Gracias. Ojalá tus pastillas vinieran en forma tan apetecible. A tu salud.

—A la tuya —respondió deliberadamente Crocker.

Wexford se reclinó en el sofá tapizado en terciopelo rojo.

—Durante todo este tiempo —comenzó— pensé que había sido Swan, aunque no parecía haber un móvil. Después, cuando Mono y el señor Casaubon me contaron la historia y averigüé más sobre la encuesta judicial, creí ver el móvil: Swan sencillamente se deshacía de la gente que le estorbaba. Eso, evidentemente, implicaba enajenación mental. ¿Y qué? El mundo está lleno de gente que oculta una vena de locura bajo su normalidad, como ese Bishop.

—¿Qué encuesta judicial? —preguntó Crocker.

—Pero lo estaba mirando desde un ángulo equivocado —prosiguió Wexford—, y tardé mucho en verlo por el lado correcto.

—Explícame entonces ese lado.

—Vayamos por partes. Cuando un niño desaparece, lo primero que se nos ocurre es que un coche lo recogió. He aquí otro de los perjuicios infligidos al mundo por el inventor del motor de explosión, ¿o acaso antes los niños eran raptados en carruaje? Pero no debo irme por las ramas. Sabíamos que era prácticamente imposible que Stella hubiese subido al coche de un extraño porque ya sabíamos que había rechazado la invitación de un primer conductor. Por lo tanto, lo más probable era que la hubiese recogido algún conocido, como su madre, su padrastro o la señora Fenn, o que hubiese entrado en una de las casas de Mill Lane.

El doctor dio un sorbo a su copa de jerez.

—Sólo hay tres —dijo.

—Cuatro, si contamos Saltram House. Swan carecía de coartada. Pudo cabalgar hasta Mill Lane, llevarse a Stella a Saltram House con algún pretexto y matarla. La señora Swan tampoco tenía coartada. En contra de lo que yo creía, puede conducir. Por lo tanto, pudo ir en coche hasta Mill Lane. Por muy monstruoso que resulte imaginar a una mujer matando a su propia hija, había que tener en cuenta a Rosalind Swan. Adora obsesivamente a su marido. ¿Creía tal vez que Stella, que también adoraba a Swan, se convertiría en pocos años en una rival?

—¿Y la señora Fenn?

—Poniendo orden en Equita, dijo. Sólo contábamos con su palabra. Pero ni siquiera mi mente ingeniosa o, si lo prefieres, retorcida, podía ver un móvil ahí. Finalmente rechacé todas esas teorías y me concentré en las cuatro casas. —Wexford bajó la voz cuando un hombre y una muchacha entraron en el bar—. Stella salió de Equita a las cinco menos veinticinco. Primero pasó por el cobertizo habitado los fines de semana, pero como era jueves no había nadie en él. Además, data de 1550.

—¿Qué tiene eso que ver? —preguntó extrañado Crocker.

—Enseguida lo sabrás. Siguió andando y comenzó a llover. A las cinco menos veinte el director del banco de Forby detuvo el coche y se ofreció a acompañarla, pero Stella rechazó la invitación. Por una vez en la vida habría hecho bien en subirse al coche de un extraño. —Los recién llegados se sentaron al lado de una ventana apartada y Wexford recuperó su tono normal—. La siguiente casa pertenece, aunque no la ocupa, a un hombre llamado Robert Rushworth, que vive en Chiltern Avenue. Fue en ese momento cuando Rushworth comenzó a interesarme. Conocía a John Lawrence, viste un abrigo de tres cuartos y es sospechoso, quién sabe si justa o injustamente, de molestar a una niña. Su esposa sabía por la señora Mitchell que un hombre había estado observando a los niños en el parque infantil, pero no informó de ello a la policía. El 25 de febrero por la tarde el señor Rushworth pudo muy bien hallarse en la casa de Mill Lane. Su esposa y su hijo mayor estuvieron allí. Al parecer, esa familia tiene la costumbre de entrar en sus inmuebles arrendados cuando les place, y el nombre de la señora Rushworth es Eileen.

El doctor miró a Wexford sin comprender.

—Estoy perdido. ¿Qué importancia tiene que se llame Eileen?

—El domingo pasado —prosiguió Wexford— fui a Colchester para hablar con el señor y la señora Scott, los padres de Bridget Scott. En aquel entonces todavía no sospechaba de Rushworth. Sencillamente abrigaba la vaga esperanza de que el señor o la señora Scott, o ambos, pudieran aportar datos nuevos sobre el carácter de Ivor Swan. Pero Scott, como bien sabes, está... mejor dicho estaba... muy enfermo.

—¿Debería saberlo? —preguntó Crocker.

—Por supuesto que deberías saberlo —lo reprendió Wexford—. A veces eres realmente torpe. —Al verse por una vez al mando de la situación, Wexford comenzó a animarse. El que Crocker estuviese en desventaja constituía un cambio agradable—. Temía interrogar a Scott. Ignoraba el efecto que mis palabras podían causar en él. Además, creí que su mujer bastaría para satisfacer mis propósitos. No me contó nada nuevo sobre Swan, pero inconscientemente me proporcionó cuatro datos que me ayudaron a resolver el caso. —Se aclaró la garganta—. En primer lugar, me dijo que ella y su marido solían pasar las vacaciones con un familiar que vivía cerca de Kingsmarkham y que habían estado allí por última vez el pasado invierno. Segundo, que el familiar vivía en una casa del siglo XVIII. Tercero, que en marzo, dos semanas después de enfermar, la salud de su marido era sumamente delicada. Y cuarto, que el nombre del familiar era Eileen. Ahora bien, al decir marzo bien podía referirse a dos semanas después del 25 de febrero. —Wexford hizo una pausa solemne para observar el efecto de sus palabras.

El doctor ladeó la cabeza y finalmente dijo:

—Creo que empiezo a comprender. Dios mío, cuesta creer que la gente pueda estar tan loca. Los Scott se alojaban con los Rushworth. Eileen Rushworth era el familiar. Scott indujo al señor Rushworth a deshacerse de Stella para vengarse de lo que Swan le había hecho a su hija. Puede que a cambio de algún dinero. ¡Qué horror!

Wexford suspiró. Era en momentos como ése cuando más echaba de menos a Burden, o al Burden de antaño.

—Creo que tomaremos otra copa —dijo el inspector jefe—. Esta vez invito yo.

—No tienes que actuar como si fuera un completo idiota —replicó malhumoradamente el doctor—. No estoy adiestrado para esta clase de diagnósticos. —En el momento en que Wexford se levantaba, espetó vengativamente—: Zumo de naranja para ti, es una orden.

Con un vaso delante, no de zumo de naranja sino de cerveza rubia, Wexford prosiguió:

—Eres peor que el doctor Watson. Y ya que hablamos del tema, y con todos mis respetos hacia Sir Arthur, la vida no es como las historias de Sherlock Holmes, y dudo mucho que antes lo fuera. La gente no alimenta sus deseos de venganza durante años y años, ni soborna a agentes inmobiliarios o padres de familia más o menos respetables para que cometan un asesinato.

—Pero has dicho que los Scott se alojaban en el cobertizo de los Rushworth —replicó Crocker.

—No, no lo he dicho. Usa el cerebro. ¿Cómo iban a alojarse en una casa que ya tenía inquilino? Todo ello me llevó a pensar en la casa que data de 1750. Me había olvidado por completo de la pariente de los Scott llamada Eileen, pues sólo la mencionaron de pasada, pero cuando oí a Rushworth llamar a su esposa, entonces caí en la cuenta. Después de eso, ya sólo me quedaba hacer pequeñas comprobaciones.

—Estoy tan perdido —dijo Crocker— que no sé qué decir.

Wexford saboreó por un instante la experiencia de ver al doctor totalmente desorientado. Luego prosiguió:

—Eileen es un nombre bastante corriente. ¿Por qué iba a ser la señora Rushworth la única Eileen del distrito? En ese momento recordé a una mujer que me había dicho que tenía dos nombres. La mitad de sus conocidos la llama por el primero y la otra mitad por el segundo. No me molesté en interrogarla personalmente. Fui a Somerset House y allí descubrí que la señora Margaret *Eileen* Fenn era hija de un tal James Collins y de su esposa Eileen Collins, nacida Scott.

»Por lo tanto, el pasado febrero los Scott se alojaron con la señora Fenn, en Saltram Lodge, que también data del siglo XVIII. El 25 de febrero se despidieron de la señora Fenn antes de que saliera hacia Equita, tomaron un taxi y fueron a la estación de Stowerton para coger el tren de las cuatro menos cuarto en dirección a Londres.

Crocker levantó la mano para frenar a Wexford.

—Ahora lo recuerdo. ¡Por supuesto que lo recuerdo! Scott fue el pobre hombre que sufrió la apoplejía en la plataforma de la estación. Yo estaba allí, reservando un billete, cuando me llamaron. Pero no fue a las cuatro menos cuarto, Reg, sino a eso de las seis.

—Exacto. El señor y la señora Scott no cogieron el tren de las cuatro menos cuarto. Cuando llegaron a la estación, Scott se dio cuenta de que habían olvidado una maleta en casa de la señora Fenn. Deberías saberlo, fuiste tú quien me lo dijo.

—Así es.

—En aquella época Scott era un hombre sano y fuerte. O eso pensaba él. No había taxis en la estación (bueno, ese detalle es de mi cosecha) y decidió regresar a Saltram Lodge a pie. Tardó unos tres cuartos de hora en llegar, pero eso no le preocupaba. El siguiente tren no salía hasta las seis y veinte. No tuvo problemas para entrar en la casa, porque la señora Fenn siempre deja abierta la puerta trasera. Quizá preparó una taza de té, quizá echó una cabezada. Nunca lo sabremos. Y ahora es cuando aparece Stella Rivers.

—¿Llamó a la puerta de Saltram Lodge?

—Naturalmente, era lo más lógico. También ella sabía que la puerta de atrás siempre estaba abierta y que la señora Fenn, su amiga y maestra, tenía teléfono. Llovía y comenzaba a oscurecer. Entró en la cocina y tropezó con Scott.

—¿Y Scott la reconoció?

—Scott la conocía como Stella Rivers. Dudosa del nombre correcto, la señora Fenn hablaba de ella a veces como Rivers, a veces como Swan. Y seguro que habló de la muchacha a Scott, su tío, pues estaba orgullosa de ella.

»Cuando se recuperó del susto, Stella solicitó permiso para utilizar el teléfono. ¿Cuáles fueron sus palabras? Quizá algo así como: «Me gustaría telefonear a mi padre», se refirió a Swan como su padre, «el señor Swan de Hall Farm. En cuanto llegue, le llevaremos en coche a la estación de Stowerton.» Scott odiaba el nombre de Swan. No lo había olvidado y siempre le había horrorizado la posibilidad de encontrarse con él. Probablemente se aseguró de que Stella se refería a Ivor Swan y entonces comprendió que se hallaba cara a cara con la hija, o eso creía, del hombre que había dejado morir a su pequeña cuando tenía la misma edad que esa niña.

22

Cuando regresaron a Eastover de su paseo en coche, el sol se había puesto, dejando largas vetas de fuego que salpicaban las nubes purpúreas y cubrían el mar de matices ocres. Burden estacionó el coche en el aparcamiento vacío de lo alto del acantilado. Contemplaron en silencio el mar, el cielo y un barco rastreador, lo único que se movía en el horizonte.

Gemma se había retraído más y más a medida que pasaban los días, y a veces Burden tenía la impresión de que era una sombra con quien caminaba, paseaba en coche y yacía en la cama por la noche. Apenas hablaba. Parecía la personificación del dolor o, peor aún, una mujer a las puertas de la muerte. Sabía que Gemma quería morir, aunque no se lo había dicho directamente. La noche antes la había encontrado sumergida en un baño frío, con los ojos cerrados y la cabeza hundida en el agua, y aunque ella lo negó, sabía que había tomado somníferos media hora antes. Y ese día logró por muy poco impedirle que cruzara la carretera cuando venía un coche de frente.

Al día siguiente regresarían a casa. En un mes estarían casados, pero antes Burden solicitaría el traslado a una división metropolitana. Eso significaba buscar nuevas escuelas para los niños y una casa. ¿Qué clase de vivienda conseguiría en Londres por el precio de su casa de Sussex? Pero debía hacerse. La ocurrencia, cruel e inadmisible, de que por lo menos sólo tendría que mantener a dos niños en lugar de a tres, y que su esposa, en su estado, no lo aturdiría con fiestas bulliciosas ni le llenaría la casa de amigos lo hizo enrojecer de vergüenza.

Miró tentativamente a Gemma, pero ella estaba contemplando el mar. Siguió su mirada y reparó en que la playa ya no estaba vacía. Sin perder un minuto, puso en marcha el coche, dio marcha atrás y tomó la carretera que conducía tierra adentro. No volvió a mirar a Gemma, pero sabía que estaba llorando y que las lágrimas bañaban sus pálidas y tersas mejillas.

—Probablemente —dijo Wexford después de una pausa— el primer impulso de Scott haya sido dejar actuar a Stella y huir de los Swan por donde había venido. Dicen que las víctimas de asesinato, aunque éste no fue realmente un asesinato, se autoeligen. ¿Comentó Stella que diluviaba, que ella y su padre lo acompañarían en coche a la estación? ¿Dijo acaso: «Le telefonearé. Estará aquí en menos de quince minutos»? Fue entonces cuando Scott comenzó a recordar. No lo había olvidado. Debía evitar que la muchacha utilizara el teléfono, e intentó detenerla. Sin duda, ella gritó. Cómo debió de odiarla, pensando que sabía lo que ella significaba para el hombre que aborrecía. Creo que fue eso lo que le dio fuerzas y lo indujo a apretar más de la cuenta, a rodear con sus manos de viejo el cuello de la muchacha y presionar demasiado.

El doctor estaba callado, mirando fijamente a Wexford.

—El camino de ida y vuelta desde el cobertizo de Rushworth hasta Saltram House dura media hora —continuó el inspector jefe—. Algo menos desde Saltram Lodge. Y, naturalmente, Scott conocía la existencia de los surtidores y los depósitos. Le interesaban. Era fontanero. Arrastró el cadáver de la muchacha hasta el jardín italiano y lo introdujo en el depósito. Luego regresó a la casa y recogió su maleta. Un automovilista que pasaba por allí lo acompañó hasta la estación de Stowerton. Es fácil imaginar el estado en que se encontraba.

—Sabemos —dijo quedamente Crocker— que sufrió una apoplejía.

—La señora Fenn ignoraba lo ocurrido, y también su esposa. El miércoles pasado fue víctima de otra apoplejía, y eso lo mató. Me temo que fue el hecho de verme e imaginar quién era yo lo que provocó su muerte. Su mujer no comprendió las palabras que le dijo antes de morir. Ella misma me las repitió: «Apreté demasiado fuerte. Pensaba en mi Bridget.»

—¿Qué demonios piensas hacer? No puedes acusar a un hombre muerto.

—Eso queda en manos de Griswold —repuso Wexford—. Algún párrafo poco comprometedor para la prensa, imagino. Los Swan ya han sido informados, y también su tío, el jefe de escuadrilla no sé qué. No estará obligado a pagar porque no hemos arrestado a nadie.

El doctor reflexionó por un instante.

—No has dicho una palabra de John Lawrence.

—Porque no tengo nada que decir —replicó Wexford.

El hotel no tenía puerta trasera, de modo que finalmente tuvieron que salir por la entrada principal, que
daba al paseo marítimo de Eastover. Para entonces,
Burden había deseado con toda su alma que en la
playa no hubiera niños, pero la pareja que había provocado las lágrimas de Gemma todavía estaba allí, el
niño corriendo por la orilla y la mujer caminando
junto a él, arrastrando en una mano una larga cinta de
algas. De no ser por la leve cojera, Burden no habría
reconocido en ella, con esos pantalones y el abrigo de
capucha, a la mujer que había visto con anterioridad,
o siquiera a una mujer. Absurdamente, intentó des-
viar la mirada de Gemma hacia el interior de un cobertizo que habían visto una docena de veces.

Ella obedeció —siempre se mostraba conforme,
deseosa de complacer—, pero en cuanto hubo mirado volvió otra vez la cabeza hacia el mar. Su brazo
rozaba el de Burden y éste notó que temblaba.

—Detén el coche —dijo ella.

—Pero si no hay nada que ver...

—¡Detén el coche!

Gemma jamás daba órdenes. Era la primera vez
que la oía emplear ese tono.

—¿Qué te ocurre? Volvamos al hotel. Sólo con-
seguirás coger frío.

—Por favor, Mike, detén el coche.

Burden no podía protegerla para siempre. Detuvo el coche detrás de un Jaguar rojo, el único vehículo estacionado en el paseo. No había apagado
todavía el motor cuando Gemma abrió la puerta del
coche y corrió escaleras abajo.

Resultaba ridículo recordar ahora lo que ella había dicho acerca del mar y de una muerte rápida, pero
lo recordó. Burden saltó del coche y la siguió, primero a grandes zancadas, después corriendo. La me-

lena brillante, encendida por el sol, ondeaba detrás de ella. Cada paso era como una fuerte manotada sobre la arena. La mujer se volvió para mirarlos y permaneció inmóvil, con la cinta de algas balanceándose al viento como el fular de una bailarina.

—¡Gemma, Gemma! —gritó Burden, pero el viento ahogaba sus palabras o ella estaba decidida a no oírlas. Parecía empeñada en alcanzar el mar que se arremolinaba y cedía en torno a los pies del pequeño. El niño, que había estado chapoteando en la espuma hasta cubrirse las botas, se volvió y la miró, como hacen los niños cuando los adultos se comportan de forma alarmante.

Iba a lanzarse al mar. Ignorando a la mujer, Burden corrió tras Gemma y de pronto se detuvo en seco, como si hubiera chocado contra un gran muro invisible. Estaba a menos de tres metros de ella. Con los ojos bien abiertos, el niño se acercó a Gemma. Sin vacilar, ella entró en el agua y cayó de rodillas.

Las olas menudas acariciaban los pies de Gemma, sus piernas, su vestido. Burden vio que la empapaban hasta la cintura. La oyó gritar —un grito, pensó, que bien pudo oírse a varios kilómetros de distancia— pero no supo si ese grito le provocaba alegría o tristeza.

—¡John, John, mi John!

Gemma tendió los brazos y el niño se arrojó entre ellos. Todavía arrodillada en el agua, retuvo al pequeño en un fuerte abrazo, apretando la boca contra su cabello dorado.

Burden y la mujer se miraron en silencio. Supo al instante quién era. Esa cara le había mirado antes desde el álbum de recortes de su hija. Ahora, no obstante, la encontraba muy desmejorada y envejecida. Mechones de pelo negro asomaban descuidadamente por debajo de la capucha, como si el deterioro de su carrera hubiese acelerado el de su aspecto.

Tenía manos menudas. Parecía que coleccionaba especímenes botánicos y marinos, pero ahora arrojó la cinta de algas. Desde cerca, pensó Burden, nadie podía confundirla con un hombre, pero ¿y desde lejos? Desde lejos incluso una mujer madura podía parecer un muchacho si era pequeña y poseía la agilidad de una bailarina.

¿Acaso no era natural que esa mujer quisiera a John, al descendiente de ese antiguo amante que no había sido capaz de darle un hijo? Había estado enferma, mentalmente enferma, recordó Burden. Al saber que era amiga de su padre, John debió de seguirla voluntariamente, después de que ella lo convenciera de que su madre lo había dejado temporalmente a su cargo. Y a la playa. ¿Qué niño no desea ir a la playa?

Pero algo tenía que ocurrir a continuación. Tan pronto superara su primera alegría, Gemma se abalanzaría sobre la mujer y la haría pedazos. No era el primer abuso que Leonie West cometía contra ella. ¿No había sido la bailarina quien le había robado el marido cuando apenas llevaba unos meses casada? Y ahora le había robado el hijo, lo cual constituía una iniquidad aún más monstruosa.

Burden vio a Gemma levantarse lentamente, todavía cogida a la mano de John, y cruzar la franja de arena que la separaba de Leonie West.

La bailarina no se movió, pero levantó la cabeza con una audacia patética y apretó sus manos pequeñas, esas manos que la señora Mitchell había visto recogiendo hojas. Burden dio un paso hacia adelante y recuperó la voz.

—Escucha, Gemma, lo mejor es que...

¿Qué quería decir? ¿Que lo mejor era mantener

la serenidad y discutir el asunto como personas civilizadas? La miró fijamente. Jamás hubiera creído —¿acaso la conocía de verdad?— que haría algo así, lo mejor de todo, lo que, en su opinión, casi la convertía en una santa.

Tenía el vestido empapado. Extrañamente, Burden recordó un cuadro que había visto en una ocasión y que representaba el mar abandonándose a su muerte. Gemma miró tiernamente al muchacho, le soltó la mano y cogió la de Leonie West. La mujer la observó en silencio y Gemma, tras dudar por un instante, la abrazó.

23

—Nunca habría funcionado, Mike, lo sabes tan bien como yo. No soy lo bastante convencional para ti, lo bastante respetable, o, si lo prefieres, lo bastante buena.

—Creo que eres demasiado buena para mí —dijo Burden.

—Una vez te dije que si John... que si John aparecía no me casaría contigo. Creo que no lo comprendiste. Será mejor para ambos si sigo con mis planes y me voy a vivir con Leonie. Está tan sola, Mike, y me da tanta pena... De esa forma podré disfrutar nuevamente de Londres y de mis amigos, y ella podrá disfrutar de John.

Estaban sentados en el vestíbulo del hotel de Eastover. Burden nunca la había visto tan hermosa. Su blanca tez brillaba de felicidad interior y el cabello le caía sobre los hombros. Ni tampoco tan extraña, luciendo el vestido dorado que Leonie West le había prestado porque el suyo estaba empapado. Su semblante era más dulce y tierno que nunca.

—Pero yo te amo —dijo él.

—Querido Mike, ¿estás seguro de que lo que

amas no es acostarte conmigo? ¿Te escandaliza oírme hablar así?

Le escandalizaba, pero mucho menos, muchísimo menos de lo que le habría escandalizado en otro tiempo. Ella le había enseñado muchas cosas. Le había dado una educación sentimental.

—Podemos seguir queriéndonos. Puedes venir a verme a casa de Leonie, conocer a mis amigos, hacer paseos juntos. Seré tan diferente ahora que soy feliz. Ya lo verás.

Burden se estremeció. ¿Ir a verla con su hijo allí? ¿Explicar a sus propios hijos que tenía una... una amante?

—Nunca funcionaría —repuso rotundamente Burden—. Sé que no funcionaría.

Gemma lo miró con ternura.

—«Cortejarás a otra mujeres —dijo medio cantando— y yo yaceré junto a otros hombres...»

Burden sabía de Shakespeare tanto como de Proust. Salieron al paseo marítimo, donde Leonie West esperaba en el Jaguar rojo con John.

—Ven a decirle hora —propuso Gemma.

Pero Burden negó con la cabeza. Sin duda era mejor así, sin duda algún día estaría agradecido a ese niño que le había arrebatado la felicidad y el amor. Pero ahora no, todavía no. Uno no saluda a su enemigo y ladrón.

Bajo las luces del paseo, Gemma se volvió hacia Burden y luego hacia donde estaba John. Dividida en dos, pensó él, pero era evidente quién había ganado el combate. A él nunca lo había mirado con ese brillo en los ojos, que se desvaneció en cuanto dejó de mirar el coche. Gemma estaba separándose de él, pero no con pesar o dolor, sino con cortesía.

Siempre considerada, siempre dispuesta a respetar los prejuicios de los demás —pues estaban en un lugar público por donde pasaba gente—, le tendió la mano. Él la aceptó, pero luego, olvidándose de los transeúntes, olvidándose de su querida respetabilidad, la atrajo violentamente hacia sí y la besó por última vez.

Cuando el coche rojo hubo partido, Burden se inclinó sobre la baranda para contemplar el mar y entonces supo que era mejor así, y supo también, pues ya había pasado por una experiencia similar, que no volvería a desear la muerte.

Wexford se mostró afable, malicioso y casi divino.

—Qué feliz coincidencia que tú y la señorita Woodville estuvierais en Eastbourne y se os ocurriera ir a Eastover y os encontrarais a la señora Lawrence. ¡Caray, cuántas coincidencias! —Recuperando la seriedad, agregó—: En conjunto, has hecho un buen trabajo, Mike.

Burden no dijo nada. No creía necesario aclarar que no había sido él sino Gemma quien había encontrado al niño.

Wexford cerró lentamente la puerta de su despacho y observó a Burden por unos instantes. Al cabo, dijo:

—Pero en realidad, no soy amigo de las coincidencias ni los melodramas. No creo que sea ése tu estilo.

—Puede que no, señor.

—¿Seguirás haciendo un buen trabajo, Mike? Debo preguntártelo porque necesito saberlo. Necesito saber que podré encontrarte cuando te necesite, y que cuando te encuentre serás el de antes. ¿Piensas volver a trabajar conmigo? ¿Piensas sobreponerte?

—El trabajo es el mejor remedio, ¿verdad? —replicó lentamente Burden, recordando lo que una vez había dicho a Gemma.

—Eso creo yo.

—Pero el trabajo serio, el trabajo hecho con el alma. No llegar automáticamente cada mañana y esperar que todos te admiren por ser una víctima del deber. He meditado mucho acerca de ello, señor, y he decidido valorar lo que tengo y...

—Está bien —lo interrumpió Wexford—. Pero tampoco te vuelvas un santurrón, ¿de acuerdo? Es difícil vivir así. Veo que has cambiado, pero no voy a preguntarte quién o qué ha provocado ese cambio. Estoy seguro de que descubriré que tu compasión es mucho menos rígida ahora. Vámonos a casa. —En el ascensor, Wexford prosiguió—: ¿Dices que la señora Lawrence no quiere denunciar a la mujer? Me parece muy bien, pero ¿qué ocurre con nuestro trabajo, con todos los gastos? Griswold será duro de roer. Puede que hasta insista en denunciarla. Pero si es cierto que está un poco pirada... Dios mío, el uno muerto y la otra loca.

El ascensor se abrió y allí, inevitablemente, estaba Harry Wild.

—No tengo nada para ti —dijo fríamente Wexford.

—¿Nada? —exclamó iracundo Wild, dirigiéndose a Camb—. Sé de buena tinta que...

—Ha habido bastante follón en Pump Lane —comentó Camb al tiempo que abría su libro—. Una furgoneta de la policía y dos coches de bomberos llegaron a las cinco de la tarde de ayer, domingo, para rescatar a un gato de lo alto de un olmo... —La mirada furiosa de Wild le detuvo. Se aclaró la garganta y, con tono congraciador, dijo—: Iré a ver si hay algo de té.

En el patio de la comisaría, Wexford comentó:

—Casi me olvidaba. El tío de Swan pagará la recompensa.

—Pero la ofreció a cambio de información que condujera a un arresto.

—No. Eso mismo creía yo, hasta que lo comprobé. La ofreció a cambio de información que condujera a una resolución. El jefe de escuadrilla es un hombre justo, y no la clase de hombre justo a que me refiero cuando hablo de su sobrino. Eso suponen dos mil libras para Charly Catch, o lo supondrían si el hombre no estuviera tan enfermo. —Wexford palpó distraídamente el bolsillo donde guardaba las pastillas para la tensión—. Anoche, cuando Crocker llegó a Charteris Road, encontró a un abogado en la cabecera de la cama del viejo y, en último término, Mono, porque el beneficiario no puede, además, firmar como testigo. —El inspector jefe guardó silencio por un instante y luego añadió—: Uno de estos días tengo que calcular cuántos cigarrillos extra largos se pueden comprar con toda esa pasta.

—¿Estás bien, Mike? —preguntó Grace—. Quiero decir si te encuentras bien. Hace una semana que llegas cada día a casa a las seis en punto.

Burden sonrió.

—Digamos que he recuperado el juicio. Me cuesta expresar mis sentimientos con palabras, pero supongo que me he dado cuenta de lo afortunado que soy por tener a mis hijos y lo horrible que sería perderlos.

Grace no respondió, sino que fue a la ventana y

corrió las cortinas. De espaldas a su cuñado, dijo bruscamente:

—No voy a aceptar la oferta de la clínica.

—Espera un momento... —Burden se levantó, se acercó a ella y la cogió del brazo casi con violencia—. No debes sacrificarte por mí. No lo permitiré.

—¡Mi querido Mike! —De repente, Burden comprendió que Grace no estaba preocupada ni atormentada por el remordimiento, sino feliz—. No estoy sacrificándome. Yo... —Se detuvo a mitad de la frase, quizá al recordar que su cuñado jamás conversaba con ella salvo para tratar cuestiones domésticas.

—Cuéntamelo —dijo Burden con una insistencia casi salvaje.

Grace estaba atónita.

—Sí... verás... mientras estaba en Eastbourne me encontré con un hombre, un hombre con quien había salido hace años. Yo estaba.... enamorada de él. Nos peleamos y... ¡oh, fue tan estúpido! Y ahora él quiere empezar de nuevo, venir aquí y salir conmigo... Mike, creo que... —Guardó silencio y luego, con el frío desafío que él le había enseñado, dijo—: No, no creo que te interese.

—¡Oh, Grace, si tú supieras!

Grace lo miraba como a un extraño, pero un extraño que comenzaba a gustarle y a quien quería conocer mejor.

—¿Qué, Mike?

Burden no respondió. Estaba pensando que ahora tenía la oportunidad de darse cuenta de que había encontrado a su confidente, esa amiga que podía entender, gracias a su experiencia en diferentes ámbitos de la vida, la sencilla alegría cotidiana que había constituido su matrimonio y también el fuego fulgurante, el veranillo, que había encontrado en Gemma.

—Yo también quiero hablar —dijo—. Tengo que contárselo a alguien. Si yo te escucho, ¿me escucharás tú a mí?

Grace asintió, sorprendida. Burden pensó en lo bonita que era, en lo mucho que se parecía a Jean y que, por eso mismo, sería una esposa maravillosa para ese hombre que la amaba. Y puesto que ahora no había lugar para malentendidos, la abrazó y apoyó su mejilla en la de ella.

Burden percibió la felicidad de Grace en la calidez con que respondió a su abrazo, y se contagió, y casi se sintió feliz. ¿Duraría? ¿Comenzaba finalmente a encontrar un sentido de la medida? No estaba seguro, aún no. Pero su hijo y su hija estaban a salvo, durmiendo al otro lado de esas puertas cerradas, él volvía a trabajar, tenía una amiga que aguardaba, todavía entre sus manos, a escuchar lo que él tenía que decir.

Grace lo arrastró junto al fuego, se sentó a su lado y dijo, como si hubiese comenzado a comprender:

—Todo irá bien, Mike. —Se inclinó hacia él y con expresión grave y resuelta, añadió—: Hablemos.

929

BIBLIOTECA DE AUTOR DE

RUTH RENDELL

Los **JET** de Plaza & Janés

BIBLIOTECA DE AUTOR DE

ED
MCBAIN

Los **JET** de Plaza & Janés

BIBLIOTECA DE AUTOR DE

ANTONIA FRASER